UNE ANNÉE EN ESPA
de Joseph Facal
est le neuf cent quarantième ouvrage
publié chez VLB ÉDITEUR
et le cinquante et unième
de la collection « Partis pris actuels »

VLB éditeur bénéficie du soutien de la Société de développement des entreprises culturelles du Québec (SODEC) pour son programme d'édition.

Gouvernement du Québec – Programme de crédit d'impôt pour l'édition de livres – Gestion SODEC.

Nous reconnaissons l'aide financière du gouvernement du Canada par l'entremise du Fonds du livre du Canada pour nos activités d'édition.

Nous remercions le Conseil des Arts du Canada de l'aide accordée à notre programme de publication.

UNE ANNÉE EN ESPAGNE

Joseph Facal

Une année en Espagne

Une compagnie de Quebecor Media

VLB ÉDITEUR
Groupe Ville-Marie Littérature inc.
Une compagnie de Quebecor Media
1010, rue de La Gauchetière Est
Montréal (Québec) H2L 2N5
Tél.: 514 523-1182
Téléc.: 514 282-7530
Courriel: vml@sogides.com

Maquette de la couverture: cyclonedesign.ca

Catalogage avant publication de Bibliothèque et Archives nationales du Québec et Bibliothèque et Archives Canada
Facal, Joseph, 1961-
Une année en Espagne
(Collection Partis pris actuels)
ISBN 978-2-89649-291-6
1. Espagne - Conditions sociales - 21e siècle. 2. Espagne - Politique et gouvernement - 2004- . 3. Québec (Province) - Politique et gouvernement - 2003- . 4. Facal, Joseph, 1961- . I. Titre. II. Collection: Collection Partis pris actuels.
HN583.5.F32 2011 306.0946'090511 C2010-942565-0

DISTRIBUTEURS EXCLUSIFS:
- Pour le Québec, le Canada et les États-Unis:
  LES MESSAGERIES ADP*
  2315, rue de la Province
  Longueuil (Québec) J4G 1G4
  Tél.: 450 640-1237
  Téléc.: 450 674-6237
  *filiale du Groupe Sogides inc.,
  filiale du Groupe Livre Quebecor Media inc.
- Pour l'Europe:
  Librairie du Québec / DNM
  30, rue Gay-Lussac
  75005 Paris
  Tél.: 01 43 54 49 02
  Téléc.: 01 43 54 39 15
  Courriel: direction@librairieduquebec.fr
  Site Internet: www.librairieduquebec.fr

Pour en savoir davantage sur nos publications,
visitez notre site: www.edvlb.com
Autres sites à visiter: www.edhexagone.com • www.edtypo.com
www.edjour.com • www.edhomme.com • www.edutilis.com

Dépôt légal: 1er trimestre 2011
Bibliothèque et Archives nationales du Québec, 2011
Bibliothèque et Archives Canada

ISBN 978-2-89649-291-6

À tous ces Espagnols rencontrés par hasard,
qui ont fait de cette année une des plus heureuses de ma vie.

Présentation

Est-ce qu'il vous arrive de ressentir un furieux besoin de changer d'air, de briser la routine, de faire un pas de côté ? Évidemment que ça vous arrive.

Je ressentais ce besoin depuis un bout de temps. Je suis donc passé aux actes.

La vie universitaire offre à cet égard des possibilités qui n'ont pas beaucoup d'équivalents ailleurs. Tous les sept ans, HEC Montréal, où je suis professeur, nous donne la chance de partir en année sabbatique. Contrairement à ce que bien des gens pensent, ce n'est pas une année passée à ne rien foutre, mais une année de travail à l'étranger, dont vous négociez les modalités avec votre employeur et avec l'institution qui vous accueille à l'étranger.

Ma famille et moi avons donc passé une année en Espagne, très précisément de juillet 2009 à juillet 2010. Nous vivions à Madrid, mais nous avons pas mal voyagé à travers le pays, surtout dans le Nord et autour de la capitale. Pourquoi l'Espagne ? Vous verrez plus loin.

Pendant cette année, j'ai tenu une sorte de journal. J'y notais, pêle-mêle, mes observations, mes réflexions, mes coups de cœur sur tout, sur rien et sur l'actualité. Des extraits de ce journal ont été publiés sous forme de chroniques dans *Le Journal de Montréal.*

À ma grande surprise, ces petits textes suscitaient des réactions nombreuses et chaleureuses des lecteurs. Ils en redemandaient, comme s'ils ressentaient le besoin de se faire parler d'autre chose que d'un Québec qui a déjà été plus emballant que ces temps-ci. Je recevais aussi beaucoup de réactions de gens qui me disaient ne pas faire partie de mes lecteurs habituels.

On me suggéra ensuite de faire un recueil de quelques-uns de ces billets. Puis, de fil en aiguille, il m'est venu l'envie d'ajouter des pages de ce journal personnel que je n'avais pas pensé rendre publiques quand elles furent écrites. Les textes plus longs que vous trouverez ici sont donc inédits.

Évidemment, être en Espagne faisait que je suivais aussi de près ce qui se passait en Europe, même si je continuais à m'intéresser à l'actualité de chez nous. D'où les allers-retours, les comparaisons, les coq-à-l'âne que vous trouverez un peu partout. On m'avait avisé qu'en m'éloignant du Québec, je verrais plus clairement à la fois ce qu'il a d'unique et de commun avec d'autres sociétés. Je crois que c'est vrai. Cela dit, les gens habitués à me lire retrouveront ici certaines de mes obsessions : l'école, le nationalisme, la gouvernance, la coexistence de cultures différentes, la responsabilité (ou l'irresponsabilité) citoyenne et ainsi de suite.

J'ai dit plus haut que toute ma famille était venue avec moi. Ma famille, c'est deux enfants, une femme, un chien et votre humble serviteur.

L'aîné de mes enfants s'appelle Christophe, tout juste onze ans au moment du départ. Christophe est calme, sage, réservé, méditatif, curieux, lecteur boulimique, sportif aussi, parfois lunatique et jamais pressé. Comme moi... sauf pour le sport. Physiquement, il est cependant le portrait de sa mère.

Ma fille s'appelle Mathilde, huit ans au décollage. Tout le contraire. Extravertie, en perpétuel mouvement, plus artistique et moins analytique, avec cet impérieux besoin de prendre sa place, parfois toute la place, qu'ont souvent ceux qui grandissent dans la foulée d'un aîné, mais qui n'aiment pas qu'on leur fasse de l'ombre. Pour faire court, le caractère de sa mère et le physique de son père.

Ma femme s'appelle Nathalie, mais je crois qu'elle m'en voudrait si j'en disais trop. Le chien, c'est Hugo, un *golden retriever* de quatre ans. Le chien parfait, tout simplement, pour autant qu'on ne lui demande pas d'avoir l'air méchant ou de surveiller la maison. Hugo serait plutôt du genre à offrir à des voleurs un tour guidé de la propriété en remuant la queue de joie devant la visite.

Nous avons vécu cette année infiniment plus comme une aventure familiale que dans une perspective étroitement professionnelle autour de ma petite personne. Ma femme a pris un congé sans solde d'un an. Les enfants ont fait leur année scolaire régulière en langue espagnole, à l'école publique au coin de la rue. L'immersion totale. Il n'a jamais été question d'une école privée en langue étrangère, où ils auraient été comme sous une cloche de verre, en compagnie d'autres étrangers.

J'ai choisi tout seul les textes présentés ici. Ils n'ont pas été retouchés, sauf dans les rares cas où l'on m'a signalé une ou deux erreurs de chiffres et où j'ai collé ensemble des textes publiés à l'origine en deux parties pour des raisons d'espace. Ils peuvent, si ça vous chante, être lus dans le désordre, bien qu'ils suivent un ordre strictement chronologique, puisqu'ils sont d'une certaine façon la partie « hors de l'eau » d'un journal personnel. J'ai envoyé à la déchiqueteuse les textes trop collés à l'actualité québécoise et qui m'ont semblé ne plus avoir le moindre intérêt aujourd'hui.

Il faut évidemment lire les textes ici présentés en se replaçant – dans la mesure du possible – dans le contexte qui prévalait quand je les ai écrits. Vous verrez que la suite des choses m'a parfois donné tort et parfois raison. Avec l'avantage du recul, certains de mes points de vue me font paraître terriblement naïf. Le temps qui passe nous rend tous plus clairvoyants. Je m'en fous et je m'assume.

Je remercie la direction du *Journal de Montréal* d'avoir consenti à ce que les textes déjà parus aient aujourd'hui droit à une sorte de deuxième vie.

Joseph FACAL
Septembre 2010

Mes aïeux

Je reprends l'écriture après un mois de pause dont j'avais bien besoin. Petit changement cependant : j'écris ces lignes de Madrid, où je serai professeur visiteur à l'Université Carlos III, qui est dans une banlieue appelée Getafe.

Comme les nouvelles technologies abolissent, au moins en partie, les distances, je continuerai à suivre l'actualité de chez nous comme si j'y étais. Mais j'ose espérer que mon nouveau point d'ancrage élargira mes perspectives.

Je ressentais depuis longtemps le besoin de respirer, pour un temps, un autre air que celui du Québec. J'ai la chance d'exercer un métier qui offre (parfois) cette possibilité d'aller travailler ailleurs. Par bonheur, ma femme et mes enfants étaient à des moments dans leurs vies qui rendaient l'opération faisable.

Un ami qui a vécu la même expérience m'a dit que la distance lui avait permis de voir avec beaucoup plus de clarté ce que les Québécois ont d'unique, mais aussi ce qu'ils partagent avec les autres peuples du monde. De toute façon, mon petit doigt me dit que rien ne changera chez nous à court terme.

J'ai choisi l'Espagne parce que c'est le pays de mes ancêtres des deux côtés. Mon grand-père paternel l'a quitté en 1917 pour émigrer en Uruguay. Il avait 17 ans. Il est parti en compagnie d'un de ses frères seulement. La traversée en bateau de l'Atlantique, de Vigo à Montevideo, prenait près d'un mois à l'époque.

Mon père, ma mère et moi avons ensuite quitté l'Uruguay pour le Québec en 1970. Le coup d'État militaire, que mon père avait vu venir, a eu lieu trois ans plus tard, en 1973, mais dès le milieu des années soixante, tout le pays était plongé dans une profonde crise sociale.

À un moment donné, l'Uruguay était le pays qui avait le plus de prisonniers politiques par habitant au monde. Mais cette terrible dictature a moins marqué les esprits parce que l'Uruguay est un tout petit pays, et parce que la junte militaire ne s'incarnait pas dans la personne d'un seul individu, comme Pinochet au Chili.

Trois générations, deux continents, trois pays : disons que je ressentais le besoin de trouver des réponses à certaines questions sur mes origines et l'histoire de ma famille. Quand on est jeune, on se pense immortel et on accorde peu d'importance à ce qui était là avant nous. Le temps se charge de vous ramener à vos racines.

À Madrid, j'ai inscrit mes enfants à l'école publique du quartier. L'immersion totale en espagnol. Mais avant que l'école ne débute en septembre, nous avions le temps de nous promener un peu.

Mon père m'avait donné quelques indications. C'est de son côté que se trouvaient les pistes les plus solides pour remonter dans le temps. Les Facal viennent de la Galice, qui est la région la plus au nord-ouest de l'Espagne. Une région de pêcheurs et d'agriculteurs, plus pauvre et moins développée que le reste du pays.

Je suis donc parti à la recherche de mes origines, dont nous avions assez peu parlé autour de la table familiale quand j'étais enfant. J'ai fait des découvertes bouleversantes.

3 août 2009

Mes aïeux (2)

Je poursuis le récit de mon périple dans l'Espagne profonde à la recherche de mes origines.

Quand mon grand-père paternel quitta l'Espagne pour l'Uruguay, il laissa derrière lui des frères et sœurs qui eurent de nombreux enfants. Ces derniers étaient donc les cousins éloignés de mon père.

Ils habitent encore presque tous, m'avait dit mon père, dans les environs de La Corogne, une des principales villes du nord-ouest de l'Espagne. Je loue donc une auto à Madrid, y embarque la famille et prends la route.

Mon père m'avait donné les coordonnées d'un certain Gerardo Facal, un de ses cousins, que je n'avais jamais rencontré de ma vie. Je prends une grande respiration et l'appelle.

Il m'a reçu avec une chaleur inespérée et m'a servi de guide pendant trois jours. Il enseigne les techniques infirmières dans une sorte de cégep. Comble de chance, il m'a montré l'arbre généalogique de la famille, qu'il avait partiellement reconstitué pendant ses temps libres.

En fouillant dans les archives de Saint-Jacques-de-Compostelle, il avait réussi à remonter jusqu'à un dénommé Juan Facal en 1650. Comme toutes les familles espagnoles, les Facal ne furent pas épargnés par la guerre civile de 1936-1939.

Sur le perron de l'église, il m'a présenté son frère, qui est curé, juste avant que ce dernier ne revête sa chasuble pour aller dire la messe. Mes enfants, qui n'ont pas grandi dans un milieu particulièrement croyant, étaient fort impressionnés.

Je savais que notre famille, d'origine rurale et de condition modeste, venait d'un petit village de campagne nommé Oca, à 30 minutes de La Corogne. Gerardo m'a informé que la maison dans laquelle était né et avait grandi mon grand-père était encore debout. Y vivait aujourd'hui un de ses cousins, Manuel Facal. Gerardo m'y a emmené.

Prévenue de notre arrivée, toute la tribu nous y attendait. Imaginez la scène. Je débarque avec ma femme et mes enfants 100 % québécois. Je suis le lointain cousin d'Amérique qu'ils n'ont jamais rencontré. Je me demande encore comment j'ai fait pour ne pas éclater en sanglots.

On m'a fait visiter le cimetière du village, où reposent plusieurs de mes ancêtres. Je n'ai malheureusement pas le talent d'écrivain qu'il faudrait pour exprimer les sentiments qui m'ont envahi.

Quand je vivais en Uruguay, mes deux parents travaillaient, ce qui n'était pas commun à l'époque. J'avais donc une gardienne, une jeune Espagnole rentrée en Espagne depuis. Quarante ans plus tard, je l'ai retrouvée. Intense émotion. Riez si vous voulez.

Elle a été mon trait d'union entre l'Espagne et l'Uruguay. C'est elle qui m'a le plus appris sur l'odyssée de mon grand-père, qui fut celle des centaines de milliers d'Espagnols et d'Italiens qui quittèrent la pauvreté des campagnes pour peupler l'Uruguay et l'Argentine d'aujourd'hui.

De mon grand-père, j'avais gardé le souvenir flou d'un homme sévère mais bon, sans instruction, qui parlait peu, mais dont les silences étaient très parlants. Il aimait dire que, débarqué du bateau le matin, il pétrissait la pâte dans une pizzeria l'après-midi même. Il ouvrit un commerce, puis un autre, puis un autre, se jurant que ses enfants auraient une vie meilleure que la sienne.

5 août 2009

Les pierres éternelles

Pendant notre séjour en Galice, nous avons évidemment visité Saint-Jacques-de-Compostelle. Il est parfaitement impensable d'aller dans cette région sans consacrer à cette ville sublime le temps qu'elle mérite.

J'avais beaucoup lu sur Saint-Jacques. Mais aucune lecture ni aucun album de photos n'annoncent l'émotion qu'on ressent quand on arrive à la *Plaza del Obradoiro*, qui est la place centrale de la vieille ville, où se trouve la cathédrale. La beauté austère et rugueuse de ces vieilles pierres laisse sans voix pendant de longues minutes. Mes enfants, qui parlent tellement en voyage que deux minutes de silence de leur part valent leur pesant d'or, en ont aussi perdu leur sifflet sur le coup.

Saint-Jacques-de-Compostelle est le troisième lieu de pèlerinage en importance dans le monde chrétien après Jérusalem et Rome. On commença à y venir au début du Xe siècle. Il n'y a pas, en fait, un, mais des chemins de pèlerinage aboutissant à Saint-Jacques. Le premier longeait la côte atlantique et, venant de l'est, passait par le Pays Basque, la Cantabrie et les Asturies. C'était le chemin le plus sûr à l'époque, puisque les Arabes occupaient les terres plus au sud. Au fil des siècles, c'est un véritable réseau de sentiers enchevêtrés qui s'est constitué et qui s'offre aujourd'hui aux pèlerins. Ceux-ci doivent consacrer presque autant de temps à déterminer leur itinéraire qu'à s'y préparer physiquement et, peut-être, spirituellement.

Mes parents firent l'intégralité du parcours, sur deux étés, il y a quelques années. Mon père, qui est un agnostique, me disait que cette marche ardue, ces longues heures de solitude à fouler des cailloux chauffés par le soleil, permet de faire défiler toute sa vie dans sa tête et de confronter, si on le veut, toutes les questions vitales de l'existence. Vous n'avez que cela à faire pratiquement. Méditer, marcher, se sustenter et marcher de nouveau.

Les chemins, surtout celui qui débute en France, sont aujourd'hui bondés. On y a aménagé auberges et gîtes tout au long. Les autorités religieuse et laïque ont chacune leurs certificats d'homologation du parcours effectué, que le pèlerin peut faire tamponner dans des lieux déterminés. Une sorte de diplôme.

Quand on arrive (en auto dans notre cas) à Saint-Jacques, on imagine aisément les pèlerins du Moyen Âge en sabots de bois, tuniques de laine grossière, gourdin et écuelle pour manger. Mais nous n'en sommes plus au *Nom de la Rose*. Ceux d'aujourd'hui ont des bâtons de marche rétractables et en fibre de verre, des bottes *high-tech* et des sacs à dos ergonomiques. Et ils font bien, cela va de soi. La magie du lieu opère tout de même.

Deux choses m'ont surpris. La première, c'est la jeunesse des gens qu'on croise dans cette ville. Mais on s'est chargé de me rappeler que cette ville d'un peu plus de 100 000 habitants a une université de bonne réputation. La deuxième est que là où je m'attendais à de l'art roman, c'est surtout le baroque et le néoclassique qui vous accueillent et qui prédominent.

La cathédrale est évidemment la pièce de résistance. Sublime, tout simplement. Quand on franchit la porte centrale, on tombe sur le portique de la Gloire, qui date du XIIe siècle, qui annonce donc le gothique, et qu'on doit à Maître Mateo, dont le premier métier, ai-je lu quelque part, était de construire des ponts. C'est là que se trouve la statue de Saint-Jacques assis au-dessus de laquelle il y a les célébrissimes empreintes des doigts d'une main.

Les uns disent que les empreintes furent creusées au fil des siècles par tous ces pèlerins qui posaient là leurs mains pour marquer la fin de l'harassant périple. D'autres disent que les empreintes furent placées dès la construction. Je ne sais pas. La première version est évidemment plus jolie. Notre époque étant ce qu'elle est, quand nous y étions, on nous a avisé de ne pas y mettre nos propres doigts... pour ne pas courir le risque d'attraper le virus H1N1. Je suis sérieux. Ça vous casse un élan mystique ça, mon ami. Certains le faisaient quand même, mais, en bons croyants pragmatiques, ils avaient aussi apporté du gel antiseptique et des mouchoirs.

La légende de saint Jacques est évidemment un inextricable mélange de faits et de mythes. Jacques était un des apôtres de Jésus. Particulièrement fougueux, il voulut évangéliser l'Espagne. Mais d'autres dieux en décidèrent autrement. Surpris par la tempête, son petit bateau s'échoue quelque part dans les environs. Il parcourt ensuite le pays pendant sept ans, répand la bonne parole, et choisit de retourner en Palestine, où il se fait promptement décapiter par Hérode Agrippa en l'an 44. Fin de l'histoire ? Que non.

Ses disciples, contraints de fuir la Palestine, ramènent son corps en Espagne et l'enterrent là où ils croient qu'il avait échoué quelques années plus tôt. On perd alors toute trace de l'emplacement précis. Puis, au IXe siècle, une étoile (tiens) aurait indiqué à des bergers (tiens, tiens) le lieu où repose le corps du martyr.

Mais le meilleur reste encore à venir. Les Arabes envahissent l'Espagne au début du VIIIe siècle et l'occuperont partiellement pendant plus de sept cents ans. La lutte pour les chasser s'engage toutefois très tôt. En 844, le roi Ramire Ier et une poignée de braves affrontent des Arabes près de Logroño. Le combat est acharné. Soudainement, apparaît au loin un chevalier tout de blanc vêtu, son habit traversé d'une grande croix rouge, juché sur son blanc coursier. Il se jette dans la bataille, fait tourner le vent, et les mène à une glorieuse victoire. Ses compagnons de lutte voient en lui Jacques (revenu à la vie, si je comprends bien) et le surnomment Jacques le Matamore (le tueur de Maures). La *Reconquista,* qui est le grand récit épique qui fonde l'imaginaire collectif de l'Espagne, c'est-à-dire la lutte pour finalement réussir à chasser les Arabes d'Espagne pour de bon en 1492, venait de trouver son saint patron.

Par la suite, comme le contrôle par les Turcs de la Méditerranée rend dangereux le voyage des fidèles vers la Palestine, il devient pratique d'avoir un autre lieu de pèlerinage proche, sûr et tout aussi méritoire. La coquille comme emblème de Saint-Jacques, elle, trouverait son origine dans le fait qu'un autre de ces guerriers qui luttèrent contre l'envahisseur arabe, le seigneur de Pimentel, dut, je ne sais trop pourquoi, plonger dans l'eau et nager, et en ressortit couvert de coquillages.

Je vous l'assure, c'est un de ces endroits dont on se dit qu'on est heureux de l'avoir vu avant d'aller rejoindre Jacques... où qu'il soit.

8 août 2009

Le devoir de mémoire

L'autre jour, je me promenais dans mon nouveau quartier d'adoption à Madrid, qui s'appelle Estrella, et qui est immédiatement à l'est de l'immense parc du Retiro. Mon œil est soudainement attiré par une plaque posée sur un immeuble que rien ne distingue des autres, au coin des rues Ibiza et Fernàn Gonzàlez. La plaque souligne que c'est dans cette maison que naquit, en 1941, le grand ténor Placido Domingo.

Elle fut apposée en 1978, quand Domingo n'avait que 37 ans et que sa carrière prenait son essor international. Pour dire les choses brutalement, on n'a pas attendu qu'il meure.

En Europe, des plaques de ce type sont installées un peu partout pour célébrer des personnages illustres, des événements importants ou des actes héroïques accomplis par de simples citoyens. Ces vieilles sociétés ont leurs défauts, mais elles ont un sens aigu de l'histoire, de l'importance d'entretenir la mémoire, de léguer consciemment un héritage. Je regrette que nous, Québécois, l'ayons si peu.

Cela n'a rien à voir avec le fait que ces sociétés ont plus d'histoire à célébrer que nous parce qu'elles sont plus vieilles. Je parlais tantôt d'un chanteur encore vivant. Non, c'est une question d'attitude face à la culture et à l'histoire.

Il est vrai que notre histoire compte peu de faits d'armes glorieux. Mais au plan artistique, le Québec a, en proportion de sa population, produit autant de grands talents que bien d'autres peuples. Si on les célébrait davantage, on renforcerait une fierté et une conscience collectives qui nous font cruellement défaut.

L'Assemblée nationale distribue certes des médailles, et décerne aussi l'Ordre du Québec aux gens qui se sont distingués. Mais l'événement est oublié le lendemain. Une plaque reste là, visible quotidiennement, et traverse les âges. Les jeunes qui la voient grandissent ensuite imprégnés de l'idée qu'ils ne sont qu'un maillon d'une chaîne qui a commencé bien avant eux.

Chez nous, les rares fois où nous décidons de faire les choses en grand, nous passons souvent à côté. Que son auteur me pardonne, mais la statue de René Lévesque, par exemple, fait honte à la mémoire de ce géant. Trouvez-moi un seul défenseur des mérites artistiques de cette calamité.

En Espagne, il y a présentement 18 % de chômeurs. Les musées subissent pourtant des travaux de rénovation qui coûtent des fortunes. Les Espagnols considéreraient comme un *twit* fini le politicien qui dirait que, dans un tel contexte, il faut prioriser les « vraies affaires » pour justifier de reléguer l'histoire et la culture au dernier rang.

Certains me répondront cyniquement que plusieurs de nos artistes contemporains ont déjà leurs millions pour se contenter. Leur faut-il en plus une statue ou une plaque ? Cette attitude illustre justement ce que je déplore : notre rapport à la chose culturelle. Le Québec est non seulement une société amnésique qui vit exclusivement dans l'immédiateté, mais aussi où la vraie grandeur met beaucoup de gens mal à l'aise.

« Ça change quoi dans nos vies ? » demanderont les petits esprits. Ça change qu'un peuple qui manque de fierté et qui ne sait pas d'où il vient, aura forcément toutes les misères du monde à savoir où il doit aller.

10 août 2009

Dans la ville du Greco

Des amis du Québec sont venus passer la semaine avec nous avant de filer vers les plages de Màlaga. Ce sont des habitués des voyages. Ils ont des enfants qui ont exactement l'âge des miens. Il fallait donc en profiter. Nous avons mis le cap sur Tolède, qui est à 70 kilomètres au sud-ouest de Madrid, pour y rester deux jours.

Tolède est au sommet d'une colline, ce qui signifie qu'en juillet, la ville est écrasée par le soleil. Elle est au bord d'un ravin au fond duquel coulent paresseusement les eaux grises du Tage. Elle compte environ 60 000 habitants, mais le cœur de la ville est évidemment sa partie ancienne, ceinturée de remparts et traversée par des ruelles en dédale dans lesquelles on se perd avec ravissement.

La remarque que les enfants ont faite spontanément est que l'endroit conviendrait parfaitement pour y tourner un film de chevaliers. C'est fou comme les enfants voient la réalité d'abord à travers le filtre de la fiction. Je veux dire qu'ils pensent plus spontanément à utiliser le vrai pour en faire du faux qu'à préférer le vrai parce que ce n'est justement pas du faux. Le *Seigneur des Anneaux* est pour eux un univers parfaitement familier et presque tangible. Rien de mal à cela, la réalité les rattrapera bien assez tôt.

En plus de la beauté du site, le charme de Tolède tient aussi au fait qu'on y trouve des vestiges de toutes les cultures qui marquèrent la ville, mais sans que l'unité du tout s'en ressente, bien au contraire. Capitale de l'empire wisigoth aux VIe et VIIe siècles, elle passa ensuite sous domination arabe, puis redevint espagnole quand elle fut reconquise par Alphonse VI en 1085. Il en fit sa capitale, ce qui fit prospérer la ville jusqu'à ce que Philippe II choisisse, en 1561, de transférer le siège du pouvoir à Madrid.

Tolède fut aussi la ville d'Espagne qui compta la plus importante communauté juive au Moyen Âge, d'où la présence de quelques synagogues qu'on peut encore visiter. Leur dépouillement et leur simplicité frappent, quand on a pris l'habitude de visiter les opulentes cathédrales catholiques. Ai-je besoin de dire que la cathédrale de Tolède est splendide, autant pour son architecture gothique que parce qu'elle est aussi un musée d'art religieux où l'on trouve des toiles de Goya, du Greco, de Ribera, de Vélasquez, du Titien.

Aucune ville n'est cependant aussi associée à un peintre que Tolède l'est au Greco. Né en Crète, Dominikos Theotokopoulos fit ses classes en Italie auprès du Titien, s'installa à Tolède en 1577 et y mourut en 1614. Sa peinture n'a pas semblé plaire à Philippe II, mais la postérité fut un meilleur juge. Son art est un fabuleux mélange de ferveur religieuse, parfois franchement mystique, et de modernité stylistique par rapport à son temps. Plus le Greco avance en âge, plus les visages de ses personnages s'allongent, deviennent comme hallucinés, plus les corps se dénudent et se décharnent, plus les coups de pinceaux deviennent violents. Ma fille de huit ans, qui a une opinion sur tout, le trouve trop « foncé » (vrai), triste (vrai) et déprimant (si on veut). Je crois qu'elle en a un peu peur.

C'est dans la petite église de San Tomé, qui est peut-être à 300 mètres de la cathédrale, que se trouve son célébrissime l'*Enterrement du comte d'Orgaz*. Nos enfants écoutaient attentivement les explications du guide quand celui-ci s'est subitement étranglé de rage devant un pauvre touriste qui avait osé photographier le tableau avec un appareil muni d'un flash. Les enfants ne se souviennent guère des savantes explications sur la symbolique cachée du tableau, mais ils n'ont pas oublié ce cri de guerrier wisigoth.

Demandez-leur cependant ce qu'ils retiennent de Tolède et ils vous parleront spontanément de ses innombrables magasins vendant des épées, des poignards, des haches de bourreau et des armures médiévales. On y trouve, oui, de jolies choses, de la camelote aussi, mais on se dit qu'après en avoir visité trois ou quatre, ils commencent à se ressembler tous. Que voilà un stupide point de vue d'adulte !, m'ont-ils fait savoir. Chacun était évidemment différent, ce qu'un obtus comme moi ne pouvait voir. Chacun fut donc visité. Chacun. Misère.

15 août 2009

Tranches de vie

Voici d'autres petits épisodes de ma nouvelle vie en Espagne.

J'ai cru comprendre qu'on avait beaucoup parlé d'avortement ces jours-ci au Québec. Ici aussi. Le gouvernement Zapatero vient d'entreprendre une révision de la loi actuelle.

Un cas a attiré mon attention. Gemma Botifoll a 29 ans. Elle est employée de bureau à Barcelone. Une vie parfaitement ordinaire. Les gynécologues suivent sa grossesse, qui semble se dérouler sans problème apparent. Au huitième mois, bang! L'échographie révèle que les parties gauche et droite du cerveau du bébé ne sont pas connectées.

Pronostic: il vivrait entre un jour et cinq ans, et serait aveugle, sourd et paralysé. La jeune femme, qui n'a rien d'une militante, ne veut pas mettre au monde un être humain qui ne connaîtrait que la souffrance. Elle prend donc le bottin téléphonique. Refus catégorique. Partout.

La loi espagnole interdit l'avortement pour cause de malformation après la vingt-deuxième semaine. La jeune femme fait donc 1100 kilomètres pour aller avorter en France. La nouvelle loi devrait normalement couvrir des cas comme ceux-là.

Imaginons maintenant un médecin qui, pour des raisons de conscience personnelle, refuserait de procéder à un avortement pourtant légal. Serait-il un objecteur de conscience protégé par son droit à sa liberté d'opinion, ou un professionnel qui refuse de porter assistance à une personne qui exerce son propre droit? La liberté est-elle un chemin à une ou deux voies? Vif débat ici. Il faudra trancher.

José Antonio Gordo, lui, caporal dans l'armée espagnole, en avait assez d'avoir un pénis entre les deux jambes. Sans en parler à ses supérieurs, il fait enlever cette apparence de masculinité.

Il avise ensuite la hiérarchie militaire qu'il faudrait dorénavant l'appeler caporale Maria del Mar Gordo. Onde de choc, vous dites? En Espagne, l'armée, c'est autre chose que l'armée canadienne. Ce pays, voyez-vous, a été gouverné pendant quarante ans par le général Franco.

Comme on pouvait le prévoir, le/la caporal(e) ne fut jamais accepté(e) par ses pairs et démissionna rapidement. L'armée entreprend cependant, ces jours-ci, de réécrire la réglementation sur l'admissibilité des recrues pour, comme on dit en langage moderne, les adapter à la nouvelle « sensibilité » de notre époque.

Un ami est venu me visiter avec sa petite famille. Après quelques jours passés à Madrid, ils sont partis à la plage à Màlaga. L'un des enfants se cogne la main sur on ne sait trop quoi. Deux jours plus tard, deux de ses doigts sont enflés comme des saucisses à cocktail. Les dards d'un oursin, sans doute.

Comme ils sont québécois, ils ont des réflexes québécois. Le garçon prend son Nintendo DS, et le père son livre, en vue d'une attente de quelques heures à la clinique. Mon ami parle espagnol comme je parle croate. Et contrairement à ce que s'imaginent bien des Québécois, non, le monde entier ne parle pas anglais.

Temps d'attente : cinq minutes. Les dards enlevés sans problème, accompagnés de la prescription pour les médicaments. Coût total : quelques *gracias*, et pas un sou. Imaginez un instant si cela était arrivé à un Espagnol chez nous. Qu'on me pardonne, j'oubliais : tout va toujours bien chez nous.

24 août 2009

La défaite perpétuelle

J'habite à côté d'un grand parc dans lequel je marche souvent, tard le soir. Des groupes de jeunes, qui se donnent des airs de durs mais qui me semblent venir de familles relativement aisées, y fument des joints en toute tranquillité. C'est à peine s'ils ne me les tendent pas.

C'est l'extraordinaire banalité de la chose qui me fait réfléchir. Rien, me semble-t-il, ne mine davantage la légitimité des autorités qu'un discours officiel radicalement contredit par la réalité quotidienne. Or, l'un des plus spectaculaires exemples de cela est justement l'attitude de la grande majorité des gouvernements occidentaux à l'égard de la marijuana.

Le Mexique songerait à décriminaliser la possession de petites quantités. Au Canada, l'éphémère gouvernement de Paul Martin envisagea la même chose, mais le projet de loi mourut au feuilleton.

Dans la plupart des sociétés occidentales, les politiques publiques en cette matière reposent pourtant encore sur la criminalisation et la répression. Des centaines de milliards de dollars plus tard, qu'on me pointe un seul résultat positif concret. Au contraire, nous labourons la mer.

Aux États-Unis, la production locale de marijuana a été multipliée par dix depuis 1981. Sa valeur en argent en fait le produit cultivé le plus lucratif de tous. La culture du cannabis rapporterait plus que celle du blé et du maïs.

Il n'est pas facile d'expliquer cette explosion de la consommation. Le rythme effréné de la vie moderne encourage peut-être le recours à cette soupape pour relâcher occasionnellement la pression. La consommation est sans doute aussi facilitée par cet hypocrite fossé que tous perçoivent entre le discours officiel et notre tolérance collective.

Depuis des décennies, le combat contre les drogues douces est basé sur l'idée que l'offre encourage la demande : attaquons donc les producteurs et, accessoirement, les consommateurs.

Criminaliser un produit en demande est pourtant le plus sûr moyen d'encourager un commerce interlope avec toute sa cohorte d'effets pervers : formation de bandes criminelles, prolifération du commerce des armes requises pour défendre cette source de revenus, flambées de violence, victimes innocentes, blanchiment d'argent, paradis fiscaux.

Et pour obtenir quoi ? Hausse continuelle de la consommation, sommes colossales englouties en pure perte, lois bafouées, autorités discréditées, hypocrisie omniprésente, cachotteries entre parents et enfants, et j'en passe. L'expérience de la prohibition de l'alcool aux États-Unis, dans les années vingt, annonçait pourtant ce qui allait survenir si nous empruntions cette même voie.

Au nom de quelle logique peut-on justifier que l'on criminalise la culture, le commerce, la possession et la consommation d'un produit si largement toléré que pratiquement tous nos leaders politiques admettent avoir occasionnellement fumé un joint sans que personne en fasse un plat ?

Il ne s'agit pas de banaliser encore davantage la chose, mais de suivre plutôt l'exemple de la lutte au tabagisme, qui ne repose pas sur la répression alors que les effets nocifs de la cigarette sont pourtant mille fois plus prouvés.

Il est vrai que la lutte anticigarette a engendré un détestable lobby puritain et verse souvent dans la caricature. Le Québec vit aussi ce dilemme de l'équilibre à établir entre une taxation qui décourage la consommation et une taxation qui encourage le trafic illégal à partir des réserves autochtones.

Mais fondamentalement, on a traité la cigarette comme une question de santé publique : en approfondissant la recherche sur ses effets réels et en la décourageant par un travail d'éducation à long terme. Bref, on a misé sur l'intelligence des gens. Et les résultats sont là.

26 août 2009

Un air de famille

Un ami me demandait comment se vit la crise économique en Espagne.

Mal, très mal. Le chômage est à 18 %, l'un des pires taux parmi les pays développés. La croissance économique reculera de 4,2 % en 2009. Évidemment, le déficit public explose parce que les dépenses du gouvernement augmentent en flèche et que les rentrées fiscales baissent.

La sortie de la crise se fera ici plus tardivement, pense-t-on, que dans le reste de l'Europe occidentale. L'économie espagnole est très dépendante de la construction et du tourisme, deux secteurs parmi les plus touchés, traditionnellement, lors des crises. Des réformes structurelles qui auraient dû être faites depuis longtemps ne l'ont pas été.

La ministre de l'Économie dit voir les premiers bourgeons de la reprise. Elle et ses collègues sont bien les seuls. Il y a des soldes dans tous les magasins. Le gouvernement Zapatero a d'abord nié la crise, puis a débloqué des milliards d'euros pour des travaux publics qui ont procuré des jobs d'été à quelques-uns.

Le grand débat du moment tourne autour d'une proposition gouvernementale d'ajouter environ 700 dollars par mois aux prestations d'assurance-chômage. La mesure est évidemment proposée sous la bannière de la « solidarité ». Quatre chômeurs sur cinq n'y auraient cependant pas droit.

Elle fut aussi négociée exclusivement avec les syndicats, qui sont très puissants ici. Or, l'immense majorité des chômeurs ne sont pas syndiqués. Ils n'ont aucun rapport de force politique. Le gouvernement Zapatero, qui est socialiste et proche du monde syndical, craint que ses « amis » ne lui organisent un automne « chaud ».

Tous les experts sont contre cette mesure. Au lieu d'être « solidaire », elle est au contraire, disent-ils, profondément discriminatoire. Elle approfondit la cassure entre des travailleurs déjà intégrés au marché du travail et qui seront les premiers à rebondir lors de la reprise, et ceux qui auraient réellement le plus besoin d'aide.

Évidemment, faire partie de l'Union européenne comporte des obligations de discipline budgétaire prévues dans des traités. Pour réduire le déficit, le gouvernement central envisage maintenant de hausser les impôts des plus riches. Le président de la Banque centrale européenne s'arrache les cheveux, mais il n'a pas à se faire réélire.

Petit problème cependant : ici, comme chez nous, les citoyens qui gagnent plus de 100 000 $ par année ne sont que 3 % des contribuables, mais ils fournissent 38 % du total de l'impôt sur le revenu, en plus d'être ceux dont les investissements créent le plus d'emplois.

La solution du gouvernement : taxer non pas leurs revenus de travail, mais les gains sur les spéculations boursières et les transactions immobilières. Ici encore, les experts sont contre : ils proposent plutôt de hausser les tarifs des services publics gelés, la taxe de vente, et de taxer davantage cigarettes, alcool, etc. C'est comme si je n'avais pas quitté le Québec.

Le gouvernement socialiste ne dispose pas non plus de la majorité absolue au parlement. Il doit donc obtenir l'appui des petites formations de gauche radicales et des nationalistes basques, galiciens et catalans, qui en profitent pour faire monter les enchères.

7 septembre 2009

Tout ça pour ça

Mon courrier électronique a été envahi ces derniers jours par toutes sortes de gens pérorant sur cette affaire du Moulin à paroles. J'ai fini par me faire une opinion. Il est évidemment difficile d'être nuancé ici, mais j'ai toujours eu un faible pour les causes désespérées.

Selon le ministre Sam Hamad, lire publiquement le manifeste du FLQ, c'est faire l'apologie de la haine et du terrorisme. Le journal *La Presse* a aussi, évidemment, déchiré sa chemise.

On l'a assez dit : un peuple mature doit assumer la totalité de son passé. Le FLQ en fait malheureusement partie. Effacer les parties du passé qui dérangent est le propre des dictatures. Tout dépend donc de la façon dont la chose est soulignée.

Souligner un événement avec la sobriété et la retenue que son horrible nature commande est une chose. L'exalter, le glorifier, l'ennoblir en est une autre. Tout est affaire de mise en scène ici. Ce sont les extrêmes qui sont à proscrire : la négation, la banalisation ou la légitimation.

Certains fédéralistes se demandent pourquoi des souverainistes qui se sont opposés avec tant de véhémence à la reconstitution de la bataille des Plaines d'Abraham ne voient aujourd'hui rien de répréhensible dans le projet du Moulin à paroles.

Justement, ce qui était choquant, l'été dernier, n'était pas que l'on souligne la défaite des Plaines, mais la manière dont on se proposait de la faire : sur le mode léger, ludique, festif, en se déguisant et en jouant aux petits soldats. Je n'aurais eu aucun problème à ce que des colloques ou des débats sur l'interprétation à donner à l'événement soient organisés. Tout est toujours dans la manière.

Mon questionnement est ailleurs : quel est le but exact poursuivi par ceux qui ont eu cette idée de faire lire le texte felquiste ? On peut voir la chose de deux façons.

Une fois, j'ai demandé à mes étudiants ce qu'avait été la crise d'octobre 1970. Silence sépulcral. Puis, l'un d'entre eux risqua : est-ce que ce ne fût pas la première hausse brutale du prix du pétrole ?

L'ignorance de notre histoire est abyssale chez les jeunes. C'est d'ailleurs l'un des atouts majeurs du camp fédéraliste. Si cet événement leur fait connaître une page importante de notre histoire, même si elle est sordide, ce n'est peut-être pas une mauvaise chose. Disons que ça se plaide.

D'un autre côté, René Lévesque pensait que rien ne faisait plus de tort au mouvement souverainiste que d'être associé, de près ou de loin, à ceux qui prônaient la violence ou la cautionnaient. Le FLQ a d'ailleurs failli tuer le PQ en offrant aux fédéralistes un amalgame de rêve. Il suffit de lire la biographie que Pierre Duchesne a consacrée à Jacques Parizeau pour s'en convaincre.

Les souverainistes ont encore besoin de convaincre de 10 à 15 % du peuple pour constituer une majorité. Cette frange à conquérir est faite, on le sait, de gens hésitants et craintifs. Voir le spectre du FLQ revenir hanter le souverainisme ne doit pas être de nature à les attirer.

Y a-t-il ici matière à scandale ? Non. Faut-il annuler l'événement ? Non. Mais si le but était faire progresser une option qui piétine, évoquer lourdement le FLQ n'était sans doute pas l'idée du siècle.

9 septembre 2009

La mégalomanie

Nous venons tout juste de visiter une des choses les plus étranges que j'ai vues de toute ma vie. Je cherchais une excursion familiale de fin de semaine dans les environs de Madrid. Ce ne sont pas les possibilités qui manquent: Tolède, Avila, Segovia et tant d'autres lieux valent le déplacement. Nous avons finalement décidé d'aller visiter l'Escorial, qui est à la fois un palais et un monastère. Superbe, mais la surprise était ailleurs et j'y viens dans un instant.

L'Escorial se trouve dans le petit village de San Lorenzo, à 50 kilomètres au nord-ouest de Madrid. Philippe II le fit construire à partir de 1563 et les travaux furent terminés en 1584. Il voulait commémorer une importante victoire obtenue contre les Français en 1557, précisément le jour de la Saint-Laurent. Il en confia la réalisation à Juan de Toledo, auquel succéda son jeune assistant, Juan de Herrera, à la mort du premier en 1567. Beau cas d'élève dépassant le maître, puisque Herrera s'est imposé comme le grand bâtisseur espagnol de son époque. Son influence fut telle qu'on parle aujourd'hui d'un style *herrerien* pour désigner cette sobriété symétrique et monumentale qu'on associe à l'architecture espagnole de cette période.

C'est d'ailleurs parce que la construction ne prit que vingt et un ans, ultra-rapide pour l'époque et pour l'ampleur de l'ouvrage, que l'unité de style y est si frappante, à la différence de tant de ces hauts lieux européens qui mélangent les styles. Le granit prédomine et l'austérité de l'ensemble tient plus du monastère que du palais. La collection de peintures et de tapisseries à l'intérieur est sublime. Les appartements royaux surprennent par leur petitesse quand on les compare, par exemple, à ceux, délirants, de Versailles. La bibliothèque est l'endroit que nous avons préféré: les fresques qui ornent le plafond sont luxueuses et les étagères, qui montent très haut, sont remplies de tomes dont les dos sont tournés vers l'intérieur pour les protéger, j'imagine, du soleil, ce qui signifie qu'on ne sait pas de quoi traite l'ouvrage ou qui en est l'auteur. Curieux. Tout le complexe, à vrai dire, est magnifique, situé de surcroît dans un village dont le charme réussit à résister au tourisme de masse.

Mais la vraie surprise, disais-je, était ailleurs. Quand on achète les billets d'autobus pour aller à l'Escorial, on vous offre le *combo* permettant de visiter aussi, à une quinzaine de kilomètres de là, enfoncé en plein dans la sierra de la Guadarrama, ce monument qu'on appelle El Valle de los Caídos (la Vallée de ceux qui sont tombés). J'en avais vaguement entendu parler. Bon, pourquoi pas ? Allons-y, tant qu'à y être.

Un choc total. Une étrange fascination doublée d'un réel malaise. Après la visite, je me suis empressé d'en apprendre plus. Il s'agit en fait d'un monument grandiose que le général Franco fit construire, de 1940 à 1958, supposément à la mémoire des morts des deux camps tombés lors de la guerre civile qui déchira l'Espagne entre 1936 et 1939. Il fallait, disait-il, panser les plaies et œuvrer à la réconciliation nationale.

Il s'agit en fait d'une gigantesque basilique creusée dans la montagne. Devant la basilique se trouve une esplanade absolument monumentale. En haut de la montagne, on a installé une croix immense. Sur l'autre versant, un monastère sert de résidence à des moines bénédictins.

La première chose qui frappe, ce sont les dimensions proprement stupéfiantes de chacune des composantes de l'ensemble. On se sent minuscule, écrasé. Dans la basilique, la nef centrale fait 282 mètres de long alors que celle de Saint-Pierre de Rome en fait 186. La basilique abrite un ossuaire où seraient les restes d'environ 40 000 morts. Devant et derrière l'autel se trouvent les dalles funéraires de Franco lui-même, comme il l'a ordonné dès qu'il a commencé à contempler sa propre fin, et de José Antonio Primo de Rivera, exécuté en 1936, fondateur de la Phalange, le parti politique fascisant que Franco avait récupéré pour son compte ultérieurement.

La spectaculaire croix au sommet de la montagne fait 125 mètres de hauteur. D'une extrémité à l'autre des deux bras, il y a 46 mètres. On la voit à des kilomètres de distance, émergeant toute seule d'une forêt entièrement verte et densément boisée. Au pied de la croix, d'immenses statues des Évangélistes. On accède à la croix par un funiculaire. On se demande spontanément comment diable on a réussi à jucher cette chose immense en haut de la montagne.

D'où vient le malaise que j'ai éprouvé ? Il vient de ce que la beauté est ici mise au service du mal. La beauté du site et de l'œuvre est parfaitement indéniable si on a des yeux pour voir. On a cependant affaire ici à une sorte de détournement : le lieu n'est pas ce qu'il prétend être. Ce n'est pas vraiment, ou si peu, un hommage aux morts des deux camps et un symbole de réconciliation nationale.

En effet, si on sait regarder et décoder, et qu'on est un tant soit peu familier de l'histoire de l'Espagne, on voit immédiatement qu'il s'agit d'une œuvre mégalomaniaque à la gloire de Franco, de son régime et de son idéologie. Dans sa monumentale biographie de Franco, l'historien Paul Preston nous apprend d'ailleurs que Franco était obsédé par ce projet, devenu sa véritable maîtresse, sa dévorante passion, et auquel il consacrait toute son attention, se souciant des moindres détails.

Au sens strict, Franco ne fut pas un fasciste du même type qu'Hitler. Pendant la Seconde Guerre mondiale, il souhaita ardemment la victoire de l'Allemagne et de l'Italie, mais en éternel pragmatique qu'il était et incertain quant à l'issue du conflit, il laissa l'Espagne en dehors des hostilités et joua sur tous les tableaux. Avec Hitler et Mussolini, il partageait la haine de la démocratie libérale et le culte de l'autorité. Mais à la différence du Führer, nulle trace chez lui d'une quelconque idéologie de supériorité raciale, nulle volonté de domination mondiale et pas le moindre programme de génocide d'un groupe ethnique ou religieux particulier. Même s'il était obsédé par un prétendu complot judéo-maçonnique, Franco liquidait ses opposants sans distinction aucune, mais à moindre échelle que l'Autrichien. Sa véritable passion fut le pouvoir personnel absolu et à vie, et toutes les contorsions idéologiques et stratégiques furent bonnes pour cela.

Il reste que tout ce lieu baigne dans une esthétique fasciste, nietzschéenne, wagnérienne, qui est profondément troublante si on est capable de la reconnaître. L'immense esplanade semble faite pour ces grandes messes aux flambeaux de style Nuremberg 1936. Il n'y manque que ceux qui défileraient. Dans la rotonde de la basilique, là ou s'élève la coupole, des statues viriles, monumentales, de guerriers à la gueule carrée, musclés, d'allure un peu aryenne, censées représenter les armées de l'air, de terre et de mer. C'est outrancier et impressionnant tout à la fois.

Cependant, le long de la nef sont aussi disposées, à intervalles réguliers, des chapelles, comme dans les grandes cathédrales. Le tout est un curieux mélange de catholicisme fervent, presque mystique, d'iconographie à la gloire de la grandeur de l'Espagne et de paganisme exaltant la force brute. Je n'avais jamais rien vu de tel. Le régime s'y met en scène non comme un résultat des circonstances particulières des années 1930, mais comme l'héritier en droite ligne, depuis le Cid, de tout ce qui a fait de l'Espagne ce qu'elle est depuis que les Arabes en furent chassés. On songe aussi spontanément à un pharaon vaniteux se construisant un monument à sa propre gloire qui traversera les âges, à défaut de pouvoir, lui-même, atteindre l'immortalité. Ma femme et mes enfants ont été très sensibles à la spectaculaire beauté de l'œuvre, moi aussi, mais ils n'en percevaient pas la véritable signification.

Le lieu est aussi très controversé en raison du fait que des prisonniers de guerre furent utilisés en guise de main-d'œuvre pour le construire. Leur nombre exact et leurs conditions réelles de travail divisent les historiens. De surcroît, les nostalgiques de Franco s'y réunissent encore, chaque année, le jour de l'anniversaire de sa mort, pour y chanter, le bras tendu, le *Cara al Sol* (Visage au soleil), l'hymne du mouvement franquiste. Dans un pays où le retour à la démocratie n'est survenu qu'il y a un peu plus de trente ans, et qui fut déchiré par une atroce guerre civile qui vit des cousins s'entretuer, il est difficile de n'y voir qu'un folklore inoffensif et ridicule. C'est un endroit qui vous hante pendant longtemps.

12 septembre 2009

Les angles morts

Les questions les plus importantes sont souvent celles dont on parle le moins pour masquer notre impuissance à y répondre.

Prenez l'éducation. La ministre Courchesne a rendu publiques ses 13 mesures pour lutter contre le décrochage scolaire : classes plus petites, activités parascolaires, dépistage précoce des difficultés, etc. Comment voulez-vous être contre ça ?

Tout le milieu a joué sa partition habituelle. La ministre a annoncé. L'opposition et les syndicats ont maugréé. Bref, les « intervenants », comme on dit en jargon éducatif, sont intervenus.

Les journalistes ont été égaux à eux-mêmes. Madame la ministre, combien d'argent « frais » dans votre annonce d'aujourd'hui ? Madame la ministre, pourquoi rien avant la rentrée 2010 ? Au ras des pâquerettes.

L'échec scolaire n'est pas principalement une question d'argent. On décroche moins dans des sociétés où on dépense moins qu'ici. Le fond du problème – l'a-t-on assez dit ? – est que la société québécoise ne valorise pas assez l'éducation et la culture. L'instruction de masse n'a pas cinquante ans au Québec.

Les manifestations de notre rapport problématique au savoir sont partout : dans la faible valorisation du métier d'enseignant, le peu de temps consacré à la lecture, le statut suspect de l'intellectuel, etc.

Dans les petites choses aussi. Un lecteur me reprochait l'autre jour d'avoir utilisé le mot « sépulcral » dans une chronique. Le bon peuple ne comprendrait pas. Un autre relativisait l'abandon scolaire en soutenant qu'il y a des non-diplômés qui gagnent plus que des diplômés. On est découragé à l'idée de devoir répondre à ça.

Jacques Parizeau était sardoniquement surnommé « Monsieur » parce que son instruction et ses manières de grand seigneur détonaient. René Lévesque était surnommé « Ti-poil » pour être ravalé à notre rang : combien de peuples se permettent une telle familiarité avec leur chef d'État ?

Nos tics de langue sont aussi très révélateurs. Celui qui parle trop bien « pète-plus-haut-que-le-trou », ou est forcément « une tête enflée ». Tout notre rapport à l'instruction baigne dans un vieux complexe d'infériorité.

La ministre Courchesne a parlé de revaloriser l'éducation. Mais dans les faits, la valorisation de l'éducation est avant tout une responsabilité parentale, que nombre de parents n'assument pas, voire qu'ils ne se reconnaissent même pas.

La pauvreté est une partie de l'explication, mais pas une justification. Dans les sociétés où l'on décroche moins, l'adulte pauvre souhaite pour son enfant un autre destin que le sien. Ici, il se dira souvent : si j'ai réussi à me débrouiller, fiston n'aura qu'à faire comme moi. Il y a un réflexe culturel qui est différent. Ce n'est évidemment pas une politique gouvernementale qui pourra renverser cela.

Une étude de McKinsey établit que les pays avec les meilleurs résultats scolaires sont ceux où les enseignants sont recrutés parmi les meilleurs étudiants, et où ils sont ensuite envoyés dans les écoles les plus « difficiles ».

Imaginez la révolution que ce serait au Québec : virer à l'envers les facultés d'éducation, évaluer individuellement les enseignants, les envoyer là où il le faut plutôt que là où il y a des places disponibles, faire de l'ancienneté un critère secondaire. De la pure science-fiction chez nous.

Appelons ça les angles morts du débat public.

14 septembre 2009

Ni anges ni démons

Un débat fondamental traverse l'administration Obama. Et il nous concerne aussi.

Imaginez ceci. Je vous arrête au nom du gouvernement. Je vous soupçonne de préparer un attentat terroriste. Je dois absolument vous faire parler. Qui sont vos complices? Qui vous finance? La question est: jusqu'où un État a-t-il le droit d'aller pour protéger ses citoyens?

La CIA a ses méthodes de prédilection: la noyade simulée, la privation de sommeil pendant six jours, l'enfermement dans une boîte avec des insectes. Dans les régimes dictatoriaux, on est nettement moins sophistiqué: des chocs électriques sur les testicules, l'arrachage des ongles, la torture de vos enfants sous vos yeux.

Sitôt assermenté, Barack Obama a annoncé la fin des interrogatoires musclés et la fermeture prochaine de Guantanamo. Il a aussi rendu publics des documents détaillant les pratiques en cours sous l'administration Bush. Réponse de Dick Cheney: de l'irresponsabilité drapée dans de l'angélisme.

Chose sûre, l'affaire ne se réduit pas à sa seule dimension morale. Interrogé de façon musclée, Abu Zubaydah a livré des informations qui ont permis d'arrêter Ramzi bin al-Shibh et Khaled Sheikh Mohammed, les deux cerveaux des attentats du 11 septembre 2001, qui préparaient une seconde vague d'attentats autour de Los Angeles. Or, les États-Unis n'ont pas été frappés une deuxième fois.

Certains font cependant valoir que ce sont les documents trouvés chez Zubaydah qui ont permis ces arrestations, plutôt que les renseignements livrés sous la torture. Vous direz n'importe quoi si on vous torture. L'information ainsi obtenue n'a donc souvent pas beaucoup de valeur.

La question a aussi des ramifications légales et politiques considérables. La lutte au terrorisme international repose principalement sur l'échange de renseignements entre gouvernements alliés. Or, les opposants à toute forme de torture s'adressent de plus en plus aux tribunaux pour forcer les gouvernements à rendre publics des documents qui peuvent contenir des informations hautement confidentielles.

Si un gouvernement A craint que les informations communiquées à un gouvernement B soient rendues publiques suite à un ordre d'un tribunal de ce pays B, il sera moins enclin à partager ces informations. C'est donc toute la chaîne internationale de circulation de l'information qui se trouve compromise.

Livrer des informations aux services de renseignements égyptien ou pakistanais, qui ne s'embarrassent pas de nos scrupules quand vient le temps d'obtenir des « résultats », c'est aussi participer à l'entreprise, mais en faisant faire par d'autres la partie la plus sale du boulot. À des degrés divers, tous les gouvernements sont donc concernés.

Barack Obama réalise aujourd'hui que l'affaire est nettement plus délicate qu'il ne le pensait. Il n'abolira pas les commissions militaires qui supervisent un régime parallèle de détention à durée indéterminée. Faut-il poursuivre des responsables de l'administration précédente, au risque de menotter ceux qui assurent notre sécurité ? Et fermer Guantanamo, est-ce simplement déménager des prisonniers d'un endroit à l'autre, voire même les amener en sol américain ?

N'en déplaise à ceux qui voient la vie en deux couleurs seulement, il y a bel et bien des gens qui veulent semer la mort en Occident, et les combattre à coups de bons sentiments est radicalement insuffisant.

16 septembre 2009

L'ère de glace

Je n'oublierai jamais la leçon. Après la dégelée subie par l'ADQ en 2003, j'avais stupidement écrit que ce parti n'irait jamais nulle part.

On connaît la suite. Arriva la crise des accommodements raisonnables. Le PQ jugea qu'il n'y avait rien là. L'ADQ flaira le vent et, comme on dit en anglais, « *the rest is History* » : l'ADQ se retrouva à un cheveu du pouvoir, et le PQ bon troisième.

Les adéquistes chutèrent ensuite aussi vite qu'ils étaient montés. Mais j'en retins qu'il valait mieux laisser aux autres le métier de prophète. À voir cependant la tournure pathétique que prend la course à la direction de l'ADQ, je suis tenté de conclure que j'avais jadis eu raison trop tôt. Mais bon, je me retiens.

Il reste que si l'ADQ meurt ou ne subsiste qu'en vivotant, ce serait une vraie perte pour le débat démocratique. Pour deux raisons. D'abord, parce que l'ADQ a eu le mérite de soulever des enjeux de société réels et cruciaux, comme la démographie ou la dette. La finalité de la vie politique est cependant de trouver de bonnes réponses plutôt que de poser de bonnes questions.

Ensuite, parce que la concurrence n'a pas que des vertus en économie. En politique aussi, elle vous force à vous ajuster. Talonnés par un parti qui les menaçait réellement, libéraux et péquistes étaient obligés de s'interroger sur les causes de cette hémorragie de leurs électorats respectifs au profit du petit nouveau. Il n'y a maintenant plus d'aiguillon.

D'autres raisons renforcent l'immobilisme de la politique québécoise. Les problèmes du Québec nécessiteraient des gestes qui, forcément, mécontenteraient beaucoup de monde. Si le gouvernement Charest les posait, il donnerait de l'oxygène à une opposition péquiste incapable d'en trouver par ses propres moyens.

Pourquoi les libéraux, dont toute l'histoire depuis un siècle prouve que c'est le pouvoir avant tout qui est leur raison d'être, feraient-ils ce cadeau au PQ? Jean Charest a pourtant entre les mains tous les atouts pour s'offrir, s'il le souhaite, un vrai rendez-vous avec la grandeur.

Les problèmes du PQ sont beaucoup plus compliqués. Le tassement de son vote devrait logiquement l'inciter à ouvrir son jeu. Mais ce parti est une auberge espagnole. S'il bouge vers la gauche, le PLQ se fera un plaisir d'occuper tout seul le centre de la glace. Du suicide, mais il y en a qui proposent cela sans rire. La pureté avant les résultats.

S'il bouge vers la droite, il fâchera ses « amis » du milieu syndical et certains militants qui ont le don de vous rendre la vie impossible, même s'ils sont moins nombreux que leur présence médiatique donne à penser. Opportunistes, les libéraux diraient alors que le PQ veut faire mal aux Québécois. La mer deviendrait très agitée pour la direction du PQ. Le prix à payer pour maintenir une relative unité est donc de ne jamais trop se compromettre.

Le Québec a besoin d'un sérieux coup de barre. Mais le PLQ ne veut pas le donner, et le PQ le peut difficilement sans connaître des turbulences considérables. Tout se conjugue pour que rien ne se passe. Appelons ça l'ère de glace.

21 septembre 2009

Avaler la pilule

Le gouvernement Charest envisagerait de hausser les tarifs de plusieurs services publics. Il faudra en effet s'y résoudre. La question est complexe et baigne dans la démagogie.

Comme j'ai participé à la rédaction du rapport Montmarquette, que le gouvernement nous avait commandé sur ce sujet, on me permettra de remettre quelques pendules à l'heure.

Un tarif n'est pas un impôt. L'impôt est ma contribution globale au financement des missions de l'État. Un tarif est le prix que je paie pour un service précis dont je peux, jusqu'à un certain point, choisir de moduler la consommation.

Au Québec, les tarifs sont généralement plus bas qu'ailleurs au Canada, alors que les services publics ne coûtent pas moins cher à produire. Ici, pour des raisons strictement politiques, on fixe les tarifs à des niveaux absurdement bas, qu'on gèle pendant des années, et on finance les services presque essentiellement par nos impôts.

Cette façon de faire est remplie de conséquences négatives. D'abord, plus les gels durent longtemps, plus les dégels sont brutaux quand ils doivent inévitablement survenir. Cela explique aussi en partie la lourdeur des impôts chez nous. Si la production du service n'est pas financée par le tarif qu'on vous charge, il faut bien prendre l'argent quelque part.

En plus, comme on paie en bloc plutôt qu'à la carte, les gens n'ont aucune idée du coût réel des services qu'ils consomment. Cette perception décrochée du réel est encore plus forte chez ceux qui ne paient pas d'impôts, parfois pour d'excellentes raisons.

Quand un service est tarifé très en dessous de sa valeur réelle, on le consomme aussi sans y faire attention et, si on en a les moyens, on gaspille. Des tarifs trop bas sont donc une subvention dont profitent ceux qui ont les moyens de gaspiller, qui sont les riches. Je ne suis pas sûr de voir ce que cela a de « progressiste ».

Tout financer par l'impôt empêche aussi les gens de voir le lien entre la qualité à maintenir du service et la nécessaire contribution de chacun. Quand on paie un péage, on sait qu'on finance, si c'est correctement organisé, l'entretien du réseau. Les exemples absurdes sont archi-connus. En dollars constants, le coût des études universitaires a baissé sur le long terme, sans aucun effet mesurable sur l'accessibilité. Le seul impact de la politique actuelle est d'affamer un réseau déjà sous-financé et de compromettre la qualité de l'éducation offerte. Notre manière de gérer l'hydroélectricité, elle, revient à brader à vil prix la plus précieuse ressource du Québec.

Il faut placer la fixation des tarifs le plus loin possible des influences politiques, et tenir davantage compte du coût de production réel du service. Les gens doivent savoir le vrai coût de ce qu'ils consomment, ce qui ne veut pas dire qu'ils doivent le payer.

Les moins fortunés doivent être protégés par des mesures spécifiquement concentrées sur eux, et non par une politique de bas tarifs pour tous. Et bien sûr, les revenus de tarification doivent, autant que possible, aller au financement de ces services, et pas ailleurs.

Gouverner sérieusement, c'est parfois accepter de se rendre impopulaire. On verra bien.

23 septembre 2009

Une visite au Prado

J'avais visité le Prado pour la première fois il y a près d'une trentaine d'années, quand je parcourais l'Europe sac au dos au sortir de l'adolescence. J'en avais gardé un souvenir ébloui. Je viens d'y retourner avec les miens, et le ravissement éprouvé fut aussi fort que jadis, peut-être plus encore parce que je comprends mieux ce que je regarde, et donc je l'apprécie davantage. Il n'y a pas trois pinacothèques au monde de ce calibre.

J'ai le bonheur aussi de commencer à récolter ce que j'ai semé. Depuis que mes enfants sont tout petits, je lutte pour leur transmettre l'amour de la culture classique, surtout de la culture occidentale, et pour leur apprendre à relativiser le fast-food pseudo-culturel qui nous entoure. Oui, c'est une lutte contre l'air du temps, contre le nivellement par le bas, contre tout un pan de la sensibilité contemporaine. Mais c'est une lutte qui peut se remporter. Mes enfants aiment maintenant visiter des musées, de toutes les sortes. Bien sûr, ils aiment particulièrement y reconnaître des œuvres qu'ils ont déjà vues dans des livres ou dont je leur ai parlé. Quand on déambule devant ces chefs-d'œuvre, nulle impatience de leur part, pas de protestations, pas de Nintendo, pas de manches de chandail qu'on tire pour demander quand est-ce qu'on s'en va.

J'ai une prédilection particulièrement pour les musées spécialisés et de dimensions raisonnables. Les musées comme le Louvre, qui contiennent pratiquement de tout et grugent une journée entière au pas de course si on veut tout voir, vous font sentir comme une sorte de marathonien de la culture. Ridicule. La concentration et, forcément, le plaisir s'amenuisent au bout de deux ou trois heures. Dans ces cas, je préfère n'en regarder qu'une partie et revenir un autre jour pour le reste.

Le Prado se visite intégralement, je dirais, en une demi-journée, en prenant le temps de s'attarder sur ce qui nous plaît, de prêter une oreille aux propos des guides qui passent par là, et de faire des pauses. On y trouve, pour l'essentiel, les collections réunies par les Habsbourgs et les Bourbons, mais on vient aussi d'y ouvrir une aile consacrée à la peinture espagnole du XIXe siècle. La partie ancienne du musée abrite surtout les peintres espagnols, italiens et flamands du XVe au XVIIIe siècles.

Le nombre d'œuvres exceptionnelles qu'on y trouve est étourdissant. Des classes entières d'écoliers se promènent dans les salles. Ils réaliseront un jour la chance qu'ils ont de vivre dans un pays où le patrimoine culturel disponible est d'une telle richesse. Quand on aime la peinture, on est au comble de l'émotion. À chaque salle, on se dit qu'on ne pourra rien voir de plus beau que le dernier Vélasquez, le dernier Goya, le dernier Rembrandt, le dernier Greco, le dernier Fra Angelico. Comme certaines de ses toiles sont si hypnotiques qu'on ne voit plus le temps passer, le musée a eu la bonne idée de préparer un dépliant qui indique dans quelle salle se trouve telle ou telle œuvre, de façon à donner la possibilité de se diriger tout de suite vers ce sur quoi vous savez que vous voudrez vous attarder.

Évidemment, le Prado, comme les autres grands musées du monde, fait réaliser la puissance des mythes. Les gens s'agglutinent autour des *Ménines* de Vélasquez et passent très rapidement devant la *Reddition de Breda* ou les *Fileuses,* qui n'ont pas moins de qualités. Les gardiens surveillent aussi de façon beaucoup plus attentive que jadis – du moins, il m'a semblé – l'utilisation (interdite) des appareils photo avec flash, qui endommagent les toiles, mais les téléphones cellulaires avec arsenal technologique complet intégré permettent aujourd'hui à quiconque de se faire tirer le portrait à côté de *La Maja desnuda* pour montrer à la parenté qu'ils y étaient.

Parmi toutes les grandes pinacothèques du monde, le Prado a un quelque chose d'unique qui fut jadis parfaitement cerné par Ernest Hemingway. Alors qu'il était encore relativement jeune,

Hemingway est tombé amoureux de l'Espagne. Il y passa énormément de temps pour essayer d'en comprendre l'essence et d'en percer les mystères. Peu de gens ont écrit aussi intelligemment sur un pays et une culture qui ne sont pas les leurs. En 1932, donc, Hemingway publie *Death in the Afternoon.* C'est, au premier abord, un livre sur la tauromachie, dont Hemingway devint un fin connaisseur, mais à travers l'étude des corridas de taureaux, c'est un livre sur l'Espagne, parsemé aussi de réflexions sur l'art et la vie en général.

Hemingway y explique que les visiteurs qui viennent au Prado pour la première fois sont souvent déconcertés par la simplicité avec laquelle sont disposés ces chefs-d'œuvre. Il n'y a pas de mise en scène, de trucs d'éclairage, d'aires cernées par des cordons, de draperies de velours, de cadres extravagants autour des toiles pour les mettre en valeur, pour que les gens comprennent que c'est devant *celle-là* qu'ils doivent s'extasier. Non, dit-il, elles sont tout simplement suspendues *là, comme ça,* sans artifice, parce que leur beauté propre suffit, comme ses femmes si naturellement belles qu'on est tenté de leur demander de « ne pas s'arranger » ou à peine.

La beauté, la vraie, est une drogue dure. On ne peut visiter le Prado sans avoir envie d'y retourner encore et encore et encore.

26 septembre 2009

La fabrique de la haine

Plusieurs chefs d'État viennent de s'adresser au monde à l'occasion de la 64e Assemblée générale de l'ONU.

Quand les pires dictateurs de la planète veulent faire la morale aux démocraties, on peut toujours compter sur l'ONU pour leur offrir une tribune de rêve.

Les buts proclamés de l'ONU sont d'œuvrer à la sécurité, à la paix, au développement et à l'avancement des droits de l'homme. À la lumière des résultats, force est de conclure que le seul mérite de cette organisation est que les choses seraient sans doute pires si elle n'existait pas.

L'ONU est indiscutablement un monument à l'incompétence, à l'hypocrisie et à la mauvaise foi. Ceux qui la défendent doivent admettre qu'ils défendent ses idéaux et non la réalité onusienne.

Tout a été dit sur sa bureaucratie obèse et sa corruption endémique. La liste est longue aussi des massacres et des génocides qu'elle a regardés en restant les bras croisés : Rwanda, Srebrenica, Darfour et tant d'autres.

La grande spécialité de l'ONU est cependant de renverser de façon orwellienne la réalité : les agresseurs y deviennent souvent les procureurs, et les agressés y sont transformés en accusés.

Lisez jusqu'au bout les chiffres suivants.

La guerre qui a fait rage au Congo entre 1998 et 2003 aurait fait autour de 4 millions de victimes. Elle a fait l'objet de 56 motions en bonne et due forme dans les diverses instances onusiennes.

La guerre civile qui sévit au Soudan depuis 1983 a fait périr environ 1,3 million de personnes. Mais elle n'a suscité que 14 motions à l'ONU. Les Africains peuvent se massacrer dans l'indifférence la plus complète du reste du monde.

Le conflit israélo-palestinien, lui, aurait fait environ 7000 morts entre l'an 2000 et aujourd'hui.

Israël a cependant été l'objet de... 249 motions de condamnation à l'ONU. N'y a-t-il pas là comme une scandaleuse disproportion ?

Oui, je sais, c'est une sorte de comptabilité macabre. Toutes les morts sont également tragiques.

Ce que je veux illustrer, c'est que l'ONU est d'une superbe efficacité pour travailler à plein régime à condamner Israël.

Elle y consacre des ressources, des énergies et un temps si disproportionné par rapport aux autres conflits dans le monde qu'il faut conclure à l'obsession anti-israélienne.

Cela s'explique aisément.

Les États arabes, dont pas un seul n'est une démocratie, se fichent totalement des Palestiniens, qu'ils manipulent cyniquement. Mais ils ont compris depuis longtemps qu'en faisant d'Israël le bouc émissaire de tout ce qui va mal au Moyen-Orient, ils peuvent plus facilement justifier la répression de leurs propres peuples.

Le reste des membres de l'ONU est aussi constitué d'une majorité d'États non démocratiques. Pour eux, condamner Israël, c'est, à travers lui, condamner les États-Unis et l'Occident, et justifier ainsi leur propre turpitude.

On réunit donc sans peine une majorité parmi les 192 pays membres pour voter des condamnations.

Israël a évidemment ses torts. Certaines colonies de peuplement, par exemple, sont une pure provocation.

Il faut cependant se lever de bonne heure pour expliquer en quoi l'État hébreu est responsable de la pauvreté, de l'absence de liberté, de l'ignorance, de l'obscurantisme et du mépris des femmes qui sévissent dans les pays voisins.

Plus on fouille, plus on découvre des choses étonnantes.

Par exemple, en 2006, le Conseil des Droits humains de l'ONU vota une résolution faisant d'Israël le seul État dont le traitement des droits doit faire l'objet d'un examen permanent et d'un rapport à chaque session. Le seul.

L'absurde atteint parfois des sommets.

En 1976, des terroristes détournent un avion en route vers Tel-Aviv. Le dictateur ougandais Idi Amin Dada accepte que les terroristes atterrissent chez lui, à l'aéroport d'Entebbe.

Un commando israélien donne l'assaut, libère ses compatriotes et liquide les terroristes.

Que fait l'ONU ? Elle condamne Israël pour « violation de la souveraineté territoriale de l'Ouganda ». Elle laissait cependant Idi Amin massacrer impunément son propre peuple.

Depuis plus de cinquante ans, la Chine prive de liberté politique plus de un milliard de Chinois. Combien de résolutions la condamnant ont été adoptées par l'ONU ? Pas une. La Chine dispose évidemment d'un droit de veto.

En 1988, l'ONU laisse Yasser Arafat monter à la tribune et s'adresser au monde entier. On le légitimait du coup comme chef d'un mouvement de libération nationale. Certes, il avait commis des actes terroristes, mais on peut dire la même chose d'autres « libérateurs » de peuple, et notamment de l'ex-premier ministre israélien Begin.

L'anomalie est ailleurs.

Il existe d'autres nations conquises luttant pour leur liberté : au Tibet, au Kurdistan et ailleurs. L'OLP est pourtant la seule organisation ayant obtenu cette reconnaissance onusienne. Pourquoi ? Parce qu'elle combat Israël... évidemment.

Les Palestiniens ont bien sûr droit à leur pays. Le débat n'est pas là.

Je note seulement que chaque fois que l'État d'Israël est en cause, les critères diplomatiques et moraux changent.

En 2001, lors de la conférence organisée par l'ONU à Durban, en Afrique du Sud, les responsables n'avaient pas empêché la distribution de tracts mettant sur un pied d'égalité l'étoile de David et la croix gammée nazie.

Cette obsession anti-israélienne de l'ONU se comprendrait si les violations israéliennes des droits de la personne étaient plus lourdes et plus systématiques qu'ailleurs.

Il y en a, évidemment, et elles doivent être condamnées. Il faut cependant avoir le jugement sérieusement déformé par la haine pour conclure qu'elles sont pires que ce que l'on voit chez ses voisins, ou ailleurs dans le monde.

Qu'on ne me fasse pas dire ce que je ne dis pas. J'ai dit et je répète que cet État est loin d'être sans reproches.

On notera cependant que le gouvernement israélien a lui-même démantelé les colonies de peuplement les plus controversées.

Israël a aussi fait la paix avec ses voisins qui l'ont voulue : l'Égypte et la Jordanie.

Les autres États de la région ne veulent pas lui arracher des bouts de territoire, mais le rayer de la carte.

Son armée affronte des combattants dissimulés parmi les civils, ce qui rend inévitable la mort d'innocents.

Mais l'ONU n'a évidemment que faire de ces nuances.

Le général De Gaulle qualifiait l'ONU de « machin ». Comme il est mort en 1970, il était donc très en dessous de la réalité d'aujourd'hui. Dès qu'il est question d'Israël, l'ONU fait penser à un sanatorium dont les patients auraient pris le contrôle.

28 septembre 2009

Le provocateur

Il n'y a jamais une seule façon d'interpréter le passé. Mais inévitablement, dans toutes les sociétés, une interprétation de base, dont il peut exister plusieurs variantes, finit par s'imposer. Elle prédomine pendant un certain temps, variable selon les circonstances, avant d'être remplacée par une autre.

Elle peut s'imposer comme vérité officielle si les autorités ont les moyens de réprimer les autres interprétations. Elle peut aussi s'imposer parce qu'elle est celle que la plupart des gens trouveront la plus plausible, soit parce qu'elle « colle » mieux aux faits que les autres, soit parce que suffisamment de gens en position d'influence auront tapé sur le clou de cette interprétation assez longtemps pour qu'il entre, ou les deux. C'est évidemment le propre des sociétés démocratiques que de laisser se confronter les diverses interprétations.

Par exemple, au Québec, une interprétation de l'histoire longtemps dominante, encore aujourd'hui sans doute, est que la Conquête décapita les francophones de leurs élites économiques et politiques, et que l'Église imposa dès lors graduellement son leadership social et idéologique, prônant un repli conservateur sur l'agriculture et la valorisation de la vie spirituelle. C'est un récit qui, à mon avis, contient du vrai et du faux, mais plus de vrai que de faux.

Un autre récit longtemps dominant, mais de moins en moins aujourd'hui, est que la Révolution tranquille fut une véritable rupture, presque uniformément positive, entre un Québec rétrograde, plongé dans la pénombre, et un nouveau Québec entrant finalement dans la modernité et rattrapant rapidement son retard. Ici encore, c'est un récit qui contient du vrai et du faux, mais cette fois, plus de faux que de vrai selon moi.

En Espagne aussi, des récits historiques particuliers se sont imposés. L'un d'entre eux est que l'Espagne d'aujourd'hui trouve son point de départ dans la longue lutte livrée pendant sept siècles pour chasser l'envahisseur arabe, qui avait conquis la péninsule ibérique en 711, et qui s'acheva victorieusement par la chute, en 1492, de Grenade, le dernier bastion contrôlé par les Arabes. Cette épopée glorieuse, qu'on appelle la *Reconquista*, est le récit qui structure l'imaginaire collectif dominant dans l'Espagne d'aujourd'hui. On doit évidemment le nuancer, mais il me semble globalement juste.

Une autre interprétation historique qui s'est largement imposée est que la Guerre civile qui déchira l'Espagne entre 1936 et 1939 – indiscutablement l'événement le plus important du XXe siècle espagnol – trouve son origine dans le soulèvement, en juillet 1936, d'une poignée de généraux fascistes ou fascisants, soutenus par Hitler et Mussolini, contre le gouvernement démocratique et légitimement élu de la République. Ce putsch déboucha sur une dictature qui maintint l'Espagne dans le sous-développement économique et social et l'isolement diplomatique pendant près de quarante ans.

Il se trouve que ce n'est pas ce que pense M. Pío Moa. Depuis quelques années, dans une série d'ouvrages, il a entrepris de liquider les « mythes », dit-il, qui fonderaient cette lecture, fausse pour l'essentiel selon lui. Ses livres soulèvent une immense controverse. Mais ils sont aussi des best-sellers qui font des jaloux chez les historiens académiques, en plus d'avoir amené certains d'entre eux à se demander si ce succès de masse n'indiquerait pas l'existence d'une distance certaine entre la façon dont la majorité des spécialistes des sciences sociales lit l'histoire récente de son pays et la façon dont la lit le peuple, ou du moins cette frange du peuple qui achète des livres.

Pío Moa est lui-même un curieux personnage. Né en 1948, il milita longtemps dans les groupuscules d'extrême gauche. Engagé dans l'action concrète et non seulement dans la rhétorique, il participa, pendant les années de plomb, à des opérations « révolutionnaires » clandestines. Puis, ce fut le désenchantement progressif, la perte des idéaux, la découverte de la vraie nature du totalitarisme, l'éveil aux vertus des sociétés libérales et le basculement vers la droite. Une trajectoire comme celle de tant de ces soixante-huitards qui ont aujourd'hui franchi le cap de la soixantaine. De sa jeunesse militante, il lui est cependant resté le goût du radicalisme et de la provocation, mais désormais en sens inverse, une attitude frondeuse, et une immense énergie.

Moa n'est pas un historien de formation, ni un professeur d'université de métier, ce que beaucoup invoquent pour le discréditer. Il est en effet journaliste d'opinion, écrivain, blogueur. Ses pires détracteurs lui reconnaissent cependant une grande érudition, une prodigieuse capacité de travail et une connaissance fine des travaux des autres. Il a aussi fouillé dans les archives, ce que de nombreux historiens considèrent peut-être comme la marque la plus distinctive de leur travail par opposition à celui des autres intellectuels. Le grand hispaniste américain Stanley Payne lui a donné un immense coup de pouce en soutenant que ses travaux étaient dignes d'intérêt et devaient être jugés sur pièces, et non écartés du revers de la main parce que Moa n'est pas un historien de métier.

Toute l'entreprise de Moa peut se lire comme une réponse globale à trois questions fondamentales qu'il pose lui-même. Franco s'est-il soulevé contre une démocratie ou contre un processus révolutionnaire ? Sa dictature fut-elle totalitaire ou autoritaire ? La démocratie espagnole actuelle provient-elle, pour l'essentiel, du giron franquiste lui-même ou de l'opposition à Franco ? Il faut comprendre que, dans l'Espagne d'aujourd'hui, il est extraordinairement difficile de discuter sereinement de cela, tant les plaies sont encore vives et tant les lignes de force du débat politique actuel entre la gauche et la droite doivent à la lecture que chacune fait des causes de la Guerre civile et du bilan du franquisme.

En gros, Moa soutient qu'en juillet 1936, les militaires se soulevèrent contre un pouvoir politique qui n'était plus démocratique, mais engagé dans un processus révolutionnaire décidé à faire glisser l'Espagne dans le giron de l'URSS de Staline. Les abus de pouvoir des autorités républicaines contre les centristes, contre la droite modérée, contre l'Église, leur avaient ôté toute légitimité démocratique et auraient dû être intolérables pour quiconque était réellement attaché aux libertés civiles. La Guerre civile fut donc, selon Moa, une guerre entre révolutionnaires et contre-révolutionnaires, et non une guerre entre démocrates et fascistes. La polarisation des positions qu'entraîne toute guerre civile, en enlevant toute viabilité politique réelle aux plus modérés de chaque camp, accentua ensuite les traits autoritaires de la droite. Rien de moins.

La dictature franquiste, poursuit Moa, fut indiscutablement autoritaire et répressive. Mais elle fut incomparablement meilleure, malgré tous ses défauts, que le totalitarisme soviétique, envers lequel la gauche espagnole et la grande majorité des intellectuels « progressistes » d'Occident firent preuve d'une complaisance lâche et d'un aveuglement volontaire. Elle évita également l'entrée de l'Espagne dans un conflit mondial qui l'aurait dévastée.

Enfin, la transition pacifique et réussie vers la démocratie après la mort de Franco, conclut Moa, fut rendue possible parce que ce dernier avait lui-même préparé l'après-Franco, en laissant volontairement se développer, au sein de son régime, un courant libéral et modernisateur dont les principaux personnages jouèrent des rôles cruciaux pendant le retour à la démocratie. Au contraire, du vivant de Franco, la principale force d'opposition à son régime fut un parti communiste prosoviétique duquel rien n'aurait jamais pu sortir de bon. Quant à la gauche postfranquiste, sa tendance majoritaire refuse toujours tout retour critique sur les dérives violentes et antidémocratiques du gouvernement républicain des années 1930, en plus d'être perpétuellement vacillante dans son opposition au terrorisme de l'ETA.

Pour l'essentiel, les détracteurs de Moa lui posent une question centrale : en quoi cette lecture « révisionniste » est-elle autre chose qu'une réactualisation, raffinée et reformulée dans les termes d'aujourd'hui, de ce que Franco et les franquistes dirent pendant près de quarante ans pour se justifier ? Excellente question. Je n'ai évidemment pas la compétence pour me prononcer. Comme la majorité des intellectuels de mon âge, j'ai grandi dans l'acceptation implicite de la lecture que Moa cherche à déboulonner. Mais je vous garantis que la lecture de Moa est un exercice qui ébranle et dont on ne sort pas indemne.

J'ai assisté à quelques séminaires où ces questions sont discutées. Les pages d'opinion des journaux et des revues en font aussi largement état. Des débats furieux, des acteurs pétillants d'intelligence, des enjeux essentiels aussi, car qui impose sa lecture du passé contrôle le présent et se positionne pour maîtriser l'avenir. Passionnant, vous dis-je.

3 octobre 2009

Faites comme chez vous

Je suis en Espagne depuis maintenant quatre mois, mais j'ai parfois l'impression de n'avoir jamais quitté le Québec.

L'affaire est survenue l'autre jour à Madrid. La jeune femme se prénomme Fatima. Elle est convoquée en cour pour témoigner au procès de neuf hommes accusés de faire partie d'une organisation terroriste. Son frère s'était déjà enlevé la vie en faisant volontairement exploser la bombe qu'il portait sur lui en Irak. Elle s'en dit « très fière ».

Elle entre dans la salle d'audience vêtue d'une burqa qui lui couvre intégralement le visage et le corps. Que fait le juge ? Il la menace d'outrage au tribunal ? Bien sûr que non. Avec une délicatesse que tous ont notée, il lui explique longuement que chaque témoin doit s'identifier de la même façon, à visage découvert. S'il y a bien un endroit où tous doivent être traités également, indépendamment de leurs croyances religieuses, c'est bien là.

Elle refuse net d'obtempérer. Le juge coupe court aux procédures. Tout le monde à la maison. Tumulte médiatique. Le juge aurait-il agi de la même façon si elle s'était présentée affublée d'un passe-montagne ?

La semaine suivante, la jeune femme accepte finalement de montrer les sept centimètres entre les sourcils et le bas de la bouche, mais dos au public et aux journalistes. Au sortir, la jeune femme, de nouveau voilée intégralement, dit qu'il n'y a que des « ignorants » pour en faire tout un plat.

Évidemment, les gens qui se sont portés à sa défense invoquaient la « tolérance », la « compréhension », la « sensibilité », le « dialogue », etc. Son frère, on l'a vu, était un adepte d'une forme particulièrement musclée de « dialogue ».

D'autres nous ont expliqué, comme si nous étions des demeurés, que nous ne comprenions rien à rien. Il n'y a aucune contradiction entre croire à l'égalité entre les sexes et accepter une pratique qui en est une spectaculaire négation. Ah bon.

Quelques jours plus tard, le chef du gouvernement espagnol, Zapatero, s'en va à CNN. Interrogé sur l'engagement de son pays en Afghanistan, il soutient qu'il faut négocier avec les « islamistes modérés ».

Visiblement, personne dans son entourage n'avait pris la peine de lui expliquer que dire « islamiste modéré », c'est comme dire « carnivore végétarien ». Une contradiction dans les termes. Une chose et son contraire mis ensemble. Un oxymoron. Une impossibilité pure et simple.

Dans toutes les religions, sans exception, il y a des modérés et des radicaux. Se dire « islamiste » plutôt que simplement « musulman », c'est cependant revendiquer son appartenance à la frange radicale. Or, on ne peut être radical et modéré en même temps.

La même confusion intellectuelle que chez une bonne part de nos élites à nous. Les mêmes bons sentiments sirupeux pour masquer les faiblesses de fond. La même timidité à affirmer nos valeurs fondamentales devant des gens qui, eux, n'hésitent pas à affirmer les leurs. Et à agir en conséquence.

On peut se consoler en pensant que tout cela relativise nos difficultés. On peut aussi se désoler que, même dans une société qui a infiniment plus de traditions que la nôtre, le mauvais exemple vienne de si haut.

7 octobre 2009

Jésus et moi

Dans l'université où je travaille, à Madrid, les professeurs sont deux par bureau. Chacun son pupitre.

Au début, c'est assez curieux. On se croit revenu à la petite école. Il ne manque que la boîte à lunch et la corde à danser. Manque d'espace évidemment. On s'habitue.

Je partage un bureau avec un collègue qui se prénomme Jésus. Un prénom assez commun ici. On apprend à se connaître. Jésus devient mon nouvel ami. Ça promet.

Beaucoup de gens ont des surnoms en Espagne. Les Jésus sont rebaptisés Chucho. Francisco devient Paco. José devient Pepe. Ignacio, c'est Nacho. Enrique, c'est Quique. Je suis tout mélangé.

Être deux par bureau incite fortement à jaser. Chucho (Jésus) et moi commentons à voix haute, côte à côte, les journaux du matin. Nos préférés sont *El País*, de centre-gauche, très bcbg, qui plairait beaucoup sur le Plateau, et *ABC*, de centre-droite, tellement antigouvernement que ça en devient comique, mais avec quelques chroniqueurs formidables comme le jeune Juan Manuel de Prada.

L'autre jour, Jésus, qui voit tout, attire mon attention sur un bas de page. Trois collèges de la banlieue de Paris ont décidé de récompenser financièrement les classes dont les étudiants se présenteraient le matin. *Si, señor!* Là-bas aussi, voyez-vous, ils ont un méchant problème de décrochage scolaire. C'est moins pire que chez nous, mais ils ne savent plus quoi essayer.

Chaque classe disposerait d'une cagnotte initiale de 2000 euros. Elle pourrait monter à 10 000 euros si les ados daignent se présenter. En fin d'année, on se paie une récompense de groupe. Jésus m'a glissé qu'à ce prix, il espérait que les petits anges auraient aussi la délicatesse de ne pas insulter ni frapper leur professeur.

La ministre de l'Enseignement supérieur, Valérie Pécresse, s'est dite « très réservée ». L'opposition socialiste a noté que ceux qui ne recevraient pas le fric risquaient d'y voir une « injustice », et de se mettre à tout casser encore plus vite. Le centriste François Bayrou y a vu un autre signe de l'effroyable crise des valeurs que traverse tout l'Occident, mais il n'y a plus grand monde qui écoute la petite musique de M. Bayrou.

Le ministre de l'Éducation nationale, Luc Chatel, a dit qu'il laisserait le projet aller de l'avant, mais il s'est empressé d'ajouter que ce n'était pas « son idée ». Jésus semble connaître vaguement ce monsieur : il m'a glissé qu'il n'y avait aucun risque, de toute façon, que ce monsieur ait quelque idée propre que ce soit.

Un projet expérimental encore plus radical se déroule, paraît-il, en Grande-Bretagne : un salaire hebdomadaire est carrément versé à des jeunes s'ils vont à leurs cours de formation professionnelle. D'autres projets du genre seraient aussi en gestation en Allemagne. Curieusement, voilà une expérience pédagogique dans laquelle le Québec, toujours aussi enthousiaste quand il s'agit d'être avant-gardiste, n'a pas plongé tête première.

Je me questionne cependant : quel genre d'adulte obtiendra-t-on si le petit ange se fait inculquer qu'un effort qui devrait aller de soi lui vaudra une récompense matérielle ? Jésus ne sait pas trop lui non plus. Habituellement, Jésus a pourtant réponse à tout.

12 octobre 2009

Le sorcier

Dans le dictionnaire pour enfants que les miens utilisent, on définit un sorcier comme une « personne à qui on prête des pouvoirs magiques ». Et c'est ainsi que bien des gens voient Barack Obama, même s'ils s'en défendent énergiquement.

Quand les États-Unis sont détestés par leurs alliés traditionnels, rien de bon ne peut en sortir pour ceux qui, comme moi, pensent que la civilisation occidentale n'est pas uniformément mauvaise et vaut même la peine d'être défendue. De ce point de vue, que Barack Obama succède à George Bush était un développement positif.

Faut-il pour autant perdre les pédales ? Des adultes qu'on aimerait croire rationnels le regardent avec cet air de béatitude qu'on voit chez ceux qui racontent leurs conversations avec les esprits. Même des chefs d'État se comportent en sa présence comme des collégiennes devant Elvis. Entre le crétinisme adorateur et la fureur imbécile de Fox News, la voie de passage est étroite.

Les gens sérieux, eux, ont accueilli l'attribution du prix Nobel de la paix au président américain avec les trois seules attitudes responsables en l'occurrence : la perplexité, l'incrédulité ou le rire. Obama lui-même a immédiatement réalisé que ce prix ne lui rendait pas service. Au moment où il s'emploie à faire baisser les attentes, on lui applique une autre épaisse couche de vernis surnaturel.

Voici un homme qui livre deux guerres qu'il ne sait pas comment terminer, et qui découvre que fermer une prison peut devenir très compliqué. Il sait aussi que le peuple américain, ultimement, ne le jugera que sur une seule chose : chaque électeur se demandera si sa situation personnelle s'est améliorée, même si la responsabilité du président à cet égard est infime.

À la différence de son prédécesseur, Barack Obama a visiblement lu quelques livres dans sa vie. Il a sûrement médité sur le sort de Winston Churchill. En 1940, Hitler est le maître de toute l'Europe occidentale. Seule l'Angleterre s'obstine. Hitler veut en finir.

Immense et sublime, le vieux lion anglais rallie son peuple en ne lui offrant que « du sang, de la sueur et des larmes ». Les Britanniques résistent et le vent tourne. Cinq après, lors des élections, les Anglais donnent congé au géant. La politique internationale ne fait pas gagner des élections, mais elle peut en faire perdre.

J'insiste : ce n'est pas la faute d'Obama si ces vénérables Suédois ont encore choisi de se ridiculiser. Voici des gens qui ont déjà accordé ce prix à des terroristes notoires, ou à une Rigoberta Menchu, dont le récit biographique prenait d'immenses libertés avec la vérité, mais qui défendait une si noble cause.

On a fait valoir que ce prix se voulait un encouragement à l'espoir dont Obama est le porteur, même s'il n'a encore rien accompli. Quelqu'un notait qu'à ce compte, on devrait donner le Nobel de médecine au plus brillant jeune diplômé en médecine qui nous annonce son intention de trouver, un jour, le remède au cancer.

Triturons un peu la fameuse phrase de Kennedy. Ces temps-ci, on dirait que notre planète se demande moins ce que Barack Obama peut faire pour elle, mais surtout ce qu'elle-même peut faire pour Barack Obama.

14 octobre 2009

La burocracia

Il y a vraiment des maux universels. Je vous jure.

Quand j'ai commencé les démarches pour m'installer en Espagne, j'ai obtenu très rapidement mon visa de résidence et de travail. Ça tardait plus pour ma femme et mes enfants. Mais il fallait partir. Ils entrent donc en Espagne comme touristes. Deux mois plus tard, leurs visas sont délivrés... à Montréal. On les envoie toujours à l'endroit où la demande a été effectuée.

Ma femme s'est imaginé que sa députée fédérale aurait pu l'aider à acheminer les visas à l'ambassade du Canada à Madrid. Elle attend toujours un retour d'appel.

Elle retourne finalement chercher les visas à Montréal. On lui confirme que les enfants n'ont pas besoin de venir, puisqu'ils sont mineurs. Ils restent donc avec moi. Une semaine à se remplir les yeux de Goya, Vélasquez, El Greco, Picasso... et à faire des tours de manège avec Superman, Batman, Rainman et je ne sais plus qui.

Quand ma femme revient, on retourne à la police pour obtenir leurs cartes de séjour. La fonctionnaire s'aperçoit que les passeports des enfants n'ont pas de sceau indiquant une date d'entrée au pays postérieure à l'obtention du visa. Évidemment, puisqu'ils sont restés avec moi.

Elle nous dit de ne pas nous énerver. C'est fréquent. Elle consulte ses quatre collègues. Unanimement, elles nous recommandent de sortir du pays, puis de rentrer de nouveau, et le tour est joué. Elles nous conseillent de filer vers l'ouest. Le Portugal est à une heure à peine de Salamanque, que j'avais prévu visiter de toute manière.

En retraversant, disent-elles, faites tamponner les passeports dans un village qui s'appelle Fuentes de Oñoro. Un immense doute me saisit. Mais elles sont convaincantes, et c'est leur job après tout. Et elles me proposent une solution au lieu de m'envoyer paître.

On file donc au Portugal. Jamais visité. Une petite saucette. Guère le temps pour plus. Le plus proche village portugais s'appelle Almeida. Le Portugal comme on se l'imagine: soleil écrasant, des murs blancs, des dames en fichu noir. Napoléon aurait jadis conquis la ville avec un boulet qui a atteint le dépôt des munitions.

On revient. Côté espagnol, j'entre au commissariat de police. Pas un chat. Dans une salle, le son d'une télé. Une *game* de basket. Bruits de pas. Le seul policier en service se pointe. Je raconte mon histoire. J'ai l'air d'un extraterrestre.

Il m'explique ce que je subodorais depuis le début. Il n'y a plus de poste-frontière. C'est l'Union européenne. On ne tamponne plus rien ici. Mais bon, j'avais choisi de faire confiance. Quand je lui dis que c'est Madrid qui nous envoie, il lève les yeux au ciel: Madrid... Il me rédige un document racontant tout afin d'attester de notre bonne foi.

Au retour, arrêt à Salamanque, un bijou. Pas de réservation d'hôtel. Autre erreur. C'est Fête nationale ce lundi-là. Fin de semaine de trois jours. Les locaux font le pont. Pas même un placard disponible dans un rayon de 100 kilomètres. Quand ça va mal...

Retour à Madrid le soir même. On choisit d'en rigoler. La vie est trop courte. Attendez que je raconte ça à la dame du commissariat. *La burocracia, hombre!*

19 octobre 2009

Le faux progrès

En fin de semaine avaient lieu au Québec les examens d'admission au secondaire dans beaucoup d'écoles privées.

Cela nous a valu le flot habituel d'articles presque uniformément négatifs sur le financement public qu'elles reçoivent, leurs pratiques de sélection, etc. Des débats légitimes, mais qui ne sont pas du tout l'objet du présent billet.

On fait souvent, à mon humble avis, une lecture furieusement réductrice de ces questions. Un point fondamental est fréquemment passé sous silence. Je m'explique.

La popularité grandissante de l'école privée est évidemment une conséquence de la crise de confiance que traverse l'école publique.

Mais contrairement à ce qu'on laisse souvent entendre, cette crise ne vient pas de ce que les parents s'imaginent faussement que toutes les écoles publiques sont mauvaises ou baignent dans la drogue. Les parents ne sont généralement pas idiots.

C'est plus subtil. Beaucoup de parents sentent que deux conceptions de l'école s'affrontent chez nous. Et ils se tournent vers l'école privée parce qu'ils la sentent plus proche de leurs vues.

Une conception soutient que la mission première de l'école est d'instruire, de transmettre des connaissances, en commençant par les plus fondamentales. Elle veut initier à la culture authentique TOUS les enfants, indépendamment de leurs origines ou des carrières qu'ils choisiront. C'est la mienne.

La seconde, celle qui fonde la réforme en cours depuis dix ans, pense que la mission première de l'école est d'abord d'être « inclusive ». Concrètement, cela signifie qu'elle se donne pour tâche première de « n'échapper » aucun élève. On focalise donc sur l'enfant en difficulté. Ce n'est pas déraisonnable à première vue.

Pour cela, il faudra d'abord, pense-t-on, s'assurer que le petit Jonathan a de l'estime pour lui-même, qu'il ne se sente pas « poche », qu'il ne soit pas pointé du doigt par les autres.

On a cependant pris les grands moyens pour ne pas lui faire connaître les affres de l'échec. Pour l'essentiel, on a banni l'échec : d'où la quasi-disparition des redoublements, notamment en découpant le parcours scolaire en cycles de deux ans, en donnant des directives plus ou moins formelles à cet effet aux enseignants, en supprimant presque les moyennes de groupe, et en intégrant les élèves en difficulté dans les classes régulières.

Comme les élèves faibles ont souvent de la peine avec les concepts abstraits, on a aussi mis l'accent sur la dimension « utile » du savoir. D'où, par exemple, la quasi-disparition de la littérature classique, vue comme une perte de temps, comme une ringardise antimoderne que les enfants trouveront évidemment « plate », ou comme le reflet des goûts d'une élite surtout détestée par ceux qui en font partie.

Dans cette conception, la compétition est vue comme un danger, justement parce qu'elle pourrait mener les plus faibles à l'échec, ou comme relevant d'un méchant darwinisme. Au lieu de se donner pour but d'élever tous les enfants, on vise plutôt à n'en perdre aucun.

Forcément, on nivelle alors par le bas, ce qui les pénalise tous. On les préfère également ignorants plutôt qu'inégalement instruits.

Diplômer et éduquer deviennent ainsi des synonymes. Peu importe si le système produit des diplômés dont les lacunes sont béantes : l'important est que chaque jeune ait les cartes de compétence officielles que le marché exige.

Les parents, eux, n'avaient jamais rien demandé de tout cela. Mais en haut lieu, on a toujours su ce qui était bon pour eux.

Au contraire, l'école vraiment progressiste, celle que ces niveleurs par le bas détestent, c'est celle où le mérite y est encouragé et non découragé, où l'on détache l'enfant de son « vécu » pour le faire accéder à des univers dont il ne soupçonne même pas l'existence.

L'élitiste est plutôt celui qui renonce d'emblée à essayer d'élever tous les enfants, de toutes les classes sociales, à la connaissance de la culture authentique, pour la réserver aux seuls enfants issus des familles privilégiées.

Qu'une telle conception des choses passe pour du progressisme, alors qu'elle en est l'exact opposé, est profondément choquant.

21 octobre 2009

La camisole de force

À l'unanimité, la Cour suprême vient de s'appuyer sur la Charte canadienne des droits pour invalider la loi québécoise qui mettait fin à l'entourloupette permettant à des parents allophones de contourner la loi 101 et d'inscrire leurs enfants à l'école anglaise.

Les mêmes que d'habitude seront à pied d'œuvre dans les prochains jours. On nous dira qu'il ne s'agit que de quelques cas isolés. Que le gouvernement du Québec a douze mois devant lui pour colmater la brèche. Qu'il ne s'agit que d'avocasseries. Qu'il n'y a pas, qu'il n'y a jamais, péril en la demeure.

Bref, on s'emploiera à ce que le peuple n'ait pas la mauvaise idée de vouloir tirer des conclusions politiques. Pour le bénéfice des jeunes et des amnésiques, un voyage dans le temps s'impose.

En 1867, lors de la naissance du Canada moderne, les élites anglophones n'avaient pas réussi à imposer un régime aussi centralisé qu'elles l'auraient voulu. D'où l'adoption de la formule fédérale comme compromis.

Plus de cent ans plus tard, Trudeau voulut parachever le projet d'une nation canadienne unique amorcé en 1867. Avec l'aide des neuf autres provinces, il imposa au Québec, contre la volonté de son Assemblée nationale, une constitution et cette charte qui n'ont pas été reconnues officiellement à ce jour par le Québec.

Comme Trudeau voulait établir qu'il n'y a qu'une vraie nation au Canada, il lui fallait nécessairement éliminer l'idée qu'il pouvait y avoir une nation québécoise. On ravala donc celle-ci au rang d'ethnie et, se drapant dans l'« ouverture », on décida de reconnaître désormais toutes les identités : culturelles, religieuses, sexuelles, etc. L'identité québécoise devenait une parmi une multitude. La banalisation par dilution. Cela s'appelle le multiculturalisme.

Par une charte qui ne reconnaît que des droits individuels, on transforme ensuite ces derniers en armes que quiconque peut utiliser devant les tribunaux pour saper le droit collectif de la nation québécoise de protéger sa langue. C'est ce qui vient de se passer. On coiffa enfin le tout d'une formule d'amendement qui rendait presque impossible tout changement constitutionnel futur.

Le multiculturalisme et la charte ont progressivement fait du Canada un archipel de microsolitudes ethnoculturelles recroquevillées sur elles-mêmes. C'est le droit canadien lui-même qui enferme chaque individu dans son ethnie d'origine et le ghettoïse. Elle est là, la vraie faillite du Canada. Voilà pourquoi les francophones du Québec n'adhéreront jamais avec enthousiasme au Canada, qui ne sera au mieux, pour eux, qu'un mariage de convenance.

Dans ce Canada, les francophones ne peuvent espérer d'autre statut que celui de minorité ethnique. S'en contenter, c'est, par définition, renoncer à l'égalité avec la majorité anglophone. Et quand vous renoncez à l'égalité, forcément, vous acceptez la subordination et dépendez pour toujours du bon vouloir de la majorité.

Par définition, le minoritaire doit alors intérioriser sa condition, s'accommoder devant l'adversité, espérer que le majoritaire « comprendra » et, bien sûr, fuir comme la peste la « chicane », puisqu'il en sort habituellement perdant.

Cette domination peut certes être confortable. Mais une domination confortable n'en est pas moins une domination, d'autant plus insidieuse que ce confort anesthésie la conscience historique et la volonté collective.

26 octobre 2009

La fierté d'un peuple

J'aime le hockey, mais je préfère le soccer. On n'échappe jamais totalement à nos origines, et c'est très bien ainsi.

Depuis que je suis installé en Espagne, je suis donc gâté : le championnat professionnel espagnol est indiscutablement le plus fort du monde avec la Premier League anglaise.

Il y a ici une équipe qui occupe une place absolument unique. L'Athletic Bilbao est le club emblématique du peuple basque. Le territoire basque chevauche l'Espagne et la France, et compte environ 3 millions d'habitants. Les autorités basques ont infiniment moins de pouvoirs que celles du Québec.

Fondé en 1898, l'Athletic Bilbao est l'un des trois seuls clubs espagnols – avec le Real Madrid et Barcelone – à n'être jamais tombé en deuxième division depuis la création du championnat espagnol moderne en 1928-1929.

Ce club est unique parce qu'il a pour politique de ne recruter que des joueurs nés au pays basque ou formés dans d'autres clubs du territoire. Cela en fait le porte-étendard de tout un peuple qui s'identifie profondément à lui. Cette politique est souvent critiquée, mais elle est maintenue contre vents et marées.

Il y a évidemment un prix à payer. Le bassin de recrutement est petit. L'Athletic a tout de même été finaliste de la Copa del Rey l'an dernier. Il a souvent frôlé le précipice, qui serait de chuter en deuxième division, mais il n'est jamais tombé.

Chez nous, on reproche souvent au Canadien de lever le nez sur les joueurs francophones. Chose sûre, le Canadien n'est plus le symbole national qu'il a déjà été, même s'il remplit le Centre Bell et ressort périodiquement la nostalgie à des fins de marketing.

La politique de l'illustre club basque n'est évidemment pas transposable au Québec. Le système de repêchage en vigueur dans la LNH rend cela impossible. Il est vrai cependant que la Flanelle pourrait être plus ouverte aux joueurs d'ici, et que bourrer le club d'Européens ne l'empêche pas de demeurer un petit club très ordinaire.

Le lecteur allumé aura compris que le sport n'est ici qu'un prétexte pour mon vrai message. Faisons de la science-fiction. Imaginons que le CH décidait de favoriser ouvertement le talent local. Ne me dites pas que cela n'arrivera pas, je le sais. Je dis : imaginons.

Je parie que notre clergé multiculturaliste grimperait immédiatement aux rideaux. La machine à culpabiliser se mettrait en branle. Fermeture d'esprit. Mesquinerie ethnique. Soyons modernes. Soyons réalistes. C'est un marché mondial. L'avenir n'est pas dans le rétroviseur. On connaît la chanson.

Le peuple, lui, serait probablement ravi. Dans toutes les sociétés, il y a toujours eu un fossé entre le sentiment populaire et la pensée dominante des élites. Mais ce fossé se creuse rapidement chez nous. C'est très malsain.

En passant, l'an dernier, l'Inter de Milan, un des géants du foot italien, avait souvent onze étrangers sur le terrain. Tous baragouinaient cependant l'italien quelques mois après leur arrivée. Faites le test avec les gars du CH.

Chaque société a ses particularités. Je note seulement que des choses difficilement imaginables chez nous se font ailleurs sans créer de tollé particulier. Il suffit de savoir ce qu'on veut vraiment et de se tenir debout.

28 octobre 2009

Bonjour tristesse

Les Montréalais choisissent aujourd'hui leur maire.

Des gens dont je respecte habituellement le jugement songent à voter, en toute connaissance de cause, pour un homme qui pense que fumer est bon pour sa santé et qui croit à un vaste complot d'État autour du 11 septembre. Nous en sommes là.

Le suspense provoquera peut-être une remontée de la participation. On verra. Ce qui est sûr, c'est que cette campagne électorale absolument décourageante augmentera encore un dépit et un dégoût envers la politique qui n'ont jamais été aussi élevés.

La situation n'est guère plus encourageante sur la scène québécoise. Les gens les plus corrompus dans l'industrie de la construction semblent avoir les meilleures entrées dans les milieux politiques. Quand on crèvera cet abcès, car il le faudra bien, allez savoir ce qu'on découvrira. Pour le reste, aucune idée, aucun projet, aucun élan.

Les cyniques sont devenus la première force politique au Québec. Il est impossible de leur donner entièrement tort. Il faut pourtant s'accrocher à nos responsabilités citoyennes. Malgré la nausée.

Bien sûr qu'il faut foutre à la porte les incompétents et les profiteurs, et les traîner en cour si nécessaire. Idéalement, la vraie réponse au décrochage citoyen ne devrait cependant pas être que juridique et politique. Il faudrait une profonde régénération éthique de notre vie politique.

Elle se heurterait toutefois à une immense difficulté. La politique attire de moins en moins les meilleurs, ce qui ne veut pas dire qu'on n'y trouve pas des gens de grande valeur. On assiste à une professionnalisation de la politique. Elle devient de plus en plus un métier.

Les milieux politiques sont remplis de gens qui y demeurent parce qu'il s'agit de l'emploi le mieux rémunéré qu'ils peuvent trouver. Ou parce que, pour toutes sortes de raisons, ils ne peuvent retourner à leur ancien job. Ou qui n'ont jamais eu un travail en dehors de ce milieu. Bref, ils vivent de la politique au lieu de simplement faire de la politique.

Forcément, cela réduit leur liberté, influence leur jugement, et les expose dangereusement à la tentation de détourner le regard de toutes les pratiques douteuses, voire d'y participer. Tout cela renforce chez le citoyen sa conviction qu'ils sont tous pareils, tous pourris. Ce n'est évidemment pas vrai.

Chose sûre, décrocher totalement de la politique, c'est s'engager dans un cul-de-sac. C'est permettre aux pêcheurs en eaux troubles et à leurs compagnons de route, ceux qui font semblant de ne pas voir, de continuer impunément. Strictement rien de bon ne peut en sortir.

C'est aussi s'exposer à ce qu'un démagogue déguisé en shérif de western vienne nous dire que lui se chargera de faire le ménage. Habituellement, il se révèle pire encore. Voyez Berlusconi en Italie. Ne vous imaginez pas que nous sommes à l'abri de cela.

Nous vivons en démocratie. La participation citoyenne est l'oxygène qui la fait vivre. En elle-même, la démocratie ne garantit pas des gouvernements honnêtes et compétents. Mais l'absence de démocratie, elle, garantit absolument des gouvernements incompétents, malhonnêtes et violents. Partout et toujours. Sans aucune exception.

Malgré la nausée et le découragement, se réfugier dans le rejet catégorique de la politique ne mène absolument à rien. J'en reste totalement convaincu. Il faut plutôt exiger de la bonne politique. C'est difficile, extraordinairement difficile, mais pas impossible.

2 novembre 2009

La trouille

Un lecteur me demande de comparer la situation de la grippe A au Québec et en Espagne, où je suis. Le jour et la nuit.

Je lis nos journaux et je n'en reviens pas. Des gens qui essaient de passer avant les groupes priorisés, ou qui espèrent se faufiler en changeant de région. Des politiciens qui politicaillent. Des conspirationnistes qui délirent. La matraque médiatique. Je ne peux juger de l'organisation générale de la vaccination. J'imagine que chacun a sa petite histoire.

Ici, c'est le calme plat. Certes, les cas se multiplient. Les décès ont les mêmes profils que chez nous. On priorise les mêmes groupes. La vaccination se fait dans les établissements habituels. On ne monte pas des tentes pour ça. L'information gouvernementale est présente, mais discrète. Les médias en parlent très sobrement.

La grosse différence est dans le climat social. Pas de tension palpable ici. Pas de nerfs à vif. Pas de fébrilité. Pas de sondages.

Personne ne capote. Pourquoi cette différence? Parce que la situation est objectivement moins grave? Non. Parce que l'Espagne est mieux organisée? Non.

J'ai une hypothèse. Vous ne serez pas d'accord, mais je m'en fous. Les gens inquiets le sont évidemment parce qu'ils ont peur de mourir, même s'ils le nieront. La différence entre les Espagnols et nous est culturelle, si je puis dire.

Au Québec et en Amérique du Nord, la mort fait davantage peur. Chez nous, la mort est niée, repoussée, refoulée, cachée. Nous ne savons plus « dealer » avec. Dans la culture espagnole, la mort est omniprésente depuis des siècles.

Prenez le plus grand peintre espagnol selon moi : Goya. La mort est le thème central de plusieurs de ses chefs-d'œuvre : *Saturne*, ou *Les fusillés du 3 mai*. Même chose chez Buñuel, l'immense cinéaste. Dans les églises, le Christ en croix est toujours hyperréaliste.

Pour les Espagnols, la mort est une compagne familière. Elle est domptée, apprivoisée, assumée. La mort fait partie de la vie et basta. Ça ne les rend pas irresponsables pour autant.

Voyez ce symbole par excellence de l'Espagne que sont les corridas de taureaux. Un homme et un animal sauvage s'affrontent dans un combat à mort. Ce n'est pas un sport. Les comptes rendus des corridas sont dans les pages culturelles. Les touristes nord-américains n'y comprennent absolument rien. Ils étalent donc leur ignorance bien-pensante : cruauté, sadisme, etc. Moins on comprend, plus on juge.

Ce spectacle est proprement impensable chez nous. Notre sensibilité ne pourrait encaisser qu'on nous montre la mort aussi crûment. Pour les Espagnols, la mort se regarde droit dans les yeux, et on y fait face avec honneur. Chez nous, la notion même d'honneur fait XIXe siècle.

Les vieillards sont aussi beaucoup plus visibles que chez nous. Ils sont partout dans les cafés, les rues, les parcs. Leurs enfants et leurs petits-enfants poussent la chaise roulante. On les place moins spontanément dans des foyers. On ne s'empresse pas de cacher cette décrépitude qui annonce que la mort est proche et que la fin n'est pas toujours belle.

Et ça ne les empêche pas d'aller se faire vacciner.

4 novembre 2009

La cuisson à feu doux

Quand vous aurez tous été vaccinés, vous pourrez recommencer à vous intéresser à une autre sorte de mort. La cuisson à feu doux de tout un peuple. Le nôtre.

Plus de la moitié des immigrants qui ne connaissent pas le français sont au Québec depuis plus de quinze ans. La francisation des immigrants qui ne sont pas d'origine latine, qui sont 35 % du total, stagne autour de 15 % depuis trente ans.

Sur l'île de Montréal, l'usage du français au travail par les allophones n'a pas progressé depuis la fin des années soixante-dix. Entre 30 et 40 % des immigrants qui ne parlent pas français ne suivent pas de cours pour l'apprendre.

Parmi ceux qui suivent des cours de français, le tiers les abandonne avant la fin. Plus de 40 % des allophones diplômés du secondaire francophone vont dans des cégeps anglophones, qui sont une filière déterminante de la langue ultérieure de travail.

On trouve certes des données positives. La proportion d'immigrants connaissant le français à leur arrivée est passée de 37 % en 1995 à 60 % en 2007. Évidemment, puisque le Québec priorise le recrutement dans les bassins francophones.

Depuis trente ans, la proportion d'enfants allophones fréquentant l'école française primaire et secondaire est passée de 20 % à 79 %. Évidemment, puisque c'est ce que la loi 101 impose.

Environ 72 % des jeunes Québécois de langue maternelle anglaise, âgés de cinq à quinze ans, disent savoir le français. Je soupçonne toutefois qu'ils parlent français comme les francophones parlent anglais. Mal.

Autrement dit, les seuls résultats positifs sont des conséquences directes de l'adoption de la loi 101 et de la politique d'immigration que l'on sait. Il a donc fallu ramer contre le sens naturel du courant pour enregistrer quelques progrès. Depuis trente ans, les tribunaux fédéraux n'ont cependant pas cessé d'affaiblir la loi 101.

Bref, les données qui justifient l'inquiétude sont indiscutablement plus significatives que celles qui permettent l'optimisme. À l'extérieur de la région métropolitaine, on ne réalise absolument pas que le Québec devient rapidement une grosse Acadie.

Le souci des nuances et de la complexité ne doit pas empêcher de voir la tendance générale : le poids du français, mesuré en proportion de gens le parlant à la maison, qu'il s'agisse de leur langue maternelle ou d'une langue apprise, recule à Montréal, recule au Québec et recule au Canada.

Le Québec est la seule société au monde où l'avenir de la langue de la majorité dépendra de ses choix et de ses comportements. La seule au monde. Partout ailleurs, la langue parlée par la majorité n'est pas en danger parce que les immigrants doivent absolument l'apprendre pour vivre. Pas ici.

Évidemment, les francophones ne s'aident pas quand ils passent immédiatement à l'anglais pour être gentils et « ouverts », ou parce que c'est plus rapide pour se faire comprendre... chez eux.

Chaque individu pourrait certes faire mieux. Nommez-moi cependant une autre société dans le monde où il revient à chaque individu de porter sur ses épaules le destin de tout son peuple parce que ses dirigeants refusent de le faire.

9 novembre 2009

L'écume des jours

Quand nous avons pris la décision de venir passer l'année en Espagne, la question de savoir si le chien familial, un *golden retriever* de quatre ans, venait ou non n'a même pas été discutée tellement elle allait de soi. Hugo semble parfaitement heureux ici. Il a dû beaucoup lire sur l'Espagne auparavant et n'exige aucun accommodement raisonnable.

Au sens strict, Hugo est le chien de ma femme. Un jour, elle me l'a imposé unilatéralement, et je ne l'ai jamais regretté. Pour des raisons que j'ignore, le *golden retriever* nord-américain est plus haut sur pattes et a le poil plus roux que son cousin européen, plutôt râblé et blanc crémeux. Hugo fait donc sensation quand il se promène dans les parcs d'ici. À tout bout de champ, des inconnus s'arrêtent pour le flatter et lui faire des compliments. Les Espagnols aiment beaucoup les chiens et engagent la conversation avec des étrangers plus spontanément que nous le faisons chez nous. Peut-être que la petitesse des logements et l'absence de cours gazonnées à l'arrière y sont pour beaucoup. Forcément, les gens sortent davantage.

Les parcs publics sont, il faut le dire, magnifiques. Ceci explique évidemment cela : comme la seule parcelle de verdure accessible en milieu urbain est le parc du quartier, les gens y attachent beaucoup d'importance. Les autorités en prennent donc grand soin. Dans celui qui est à côté de chez nous, qui s'appelle Parque de Roma, une équipe de jardiniers à l'emploi de la Ville y passe la journée à ramasser vieux papiers et bouteilles vides, à sarcler, planter, arroser, arracher les mauvaises herbes et élaguer les branches mortes.

Nous avons tissé des liens avec quelques parents d'enfants qui fréquentent la même école que les nôtres. L'un d'entre eux, à qui je faisais remarquer que les parcs européens sont véritablement des jardins, moins entièrement conçus en fonction des installations sportives que les nôtres, me racontait qu'il avait vu, à Londres, un parc avec une plaque qui expliquait que celui-ci avait été gracieusement offert aux autorités municipales, par je-ne-sais-trop quel riche aristocrate, «*for the enjoyment of the gardenless*». Pour les *sans-jardin. Cute*, non? On sent le petit doigt en l'air juste dans la tournure de la phrase.

Nos enfants vont à l'école de 9h à 12h30, puis reprennent à 14h30 et terminent à 16h. Je les ai inscrits à l'école publique la plus proche de l'appartement tout simplement. Un petit miracle que d'y avoir trouvé deux places. Pour l'essentiel, l'année scolaire des enfants se passe à merveille. Ils avaient certes suivi des cours privés d'espagnol à la maison avant notre départ et je n'étais pas particulièrement inquiet, mais l'adaptation et l'intégration se sont faites encore plus aisément que je ne le pensais. Les matières de base sont pratiquement les mêmes qu'au Québec et le niveau me semble équivalent.

Beaucoup de parents, dont nous, vont chercher leurs enfants à la sortie des classes. Le retour à l'appartement se fait à travers le parc, et ces quelques minutes de marche en fin d'après-midi sont consacrées à écouter les enfants nous raconter comment s'est passée la journée et à planifier les devoirs, car des devoirs... ils en ont, surtout mon garçon qui est en sixième année du primaire. Moi-même, qui suis plutôt vieux jeu en cette matière et partisan d'une école exigeante, j'en suis un peu abasourdi. Christophe s'y met vers 16h30 et a rarement terminé avant 19h, et sans perdre son temps puisque je travaille à mes affaires à côté de lui.

J'ai demandé à d'autres parents si c'était la norme en Espagne. On m'a répondu que cette école en particulier et le professeur titulaire qu'il a cette année – les deux très appréciés néanmoins – étaient reconnus pour leur goût prononcé pour les lourdes charges de travail. Au-delà de ces cas particuliers, il semblerait aussi, selon ce que m'a raconté un autre parent, qu'il y a quelques années, les autorités s'entichèrent de ces nouvelles méthodes pédagogiques qui prônent la disparition des devoirs. Les résultats globaux des enfants piquèrent du nez si vite qu'on s'empressa de ramener le pendule vers l'autre extrême. Certains parents m'ont confié qu'il arrivait fréquemment que leur enfant ne termine pas les devoirs avant 21 h. De vous à moi, je me demande si ce n'est pas un excellent moyen de faire en sorte qu'il en vienne à détester l'école.

De toute façon, les Espagnols ont un rapport au temps et donc des horaires très différents des nôtres. Ils dînent vers 15 h et ne soupent pas avant 21 h 30. Le dîner est souvent plus copieux que le souper. Après des mois ici, nous continuons aussi, enfoncés dans nos réflexes nord-américains, à nous cogner le nez sur les portes des magasins – surtout ceux des quartiers résidentiels – fermés pendant l'après-midi, et qui ouvriront de nouveau vers 16 h 30 pour fermer pour de bon vers 20 h. Quand on finira par s'y faire, ce sera le temps de repartir au Québec. Le dimanche, beaucoup de magasins sont fermés et la journée est réellement consacrée à des activités familiales. C'est très agréable et pas incommodant du tout si on s'organise le moindrement. On se croirait revenu dans le Québec des années soixante-dix, comme dans *C.R.A.Z.Y.*

14 novembre 2009

Los toros

Nous en sommes déjà à notre troisième corrida de taureaux de la saison à la grande place de *Las Ventas* de Madrid. Je dis *nous* parce que nous y allons en famille. Parfaitement. Ayant moi-même déjà assisté à une corrida, il y a de longues années, j'avais une certaine appréhension, me demandant comment mes enfants réagiraient la première fois. Ils ont passé l'examen *with flying colours,* et ils apprivoisent progressivement cette cérémonie qui ne ressemble à aucune autre.

Mes enfants sont encore jeunes : ils ont huit et onze ans. Ils grandissent dans une société québécoise remplie d'aspects formidables et que j'aime passionnément, mais qui est aussi profondément « moumounisée », qui cache la mort, qui voudrait bannir le risque, et où toute forme de violence est décrétée mauvaise. Il me fallait donc les préparer à ce qu'ils allaient voir, car il est évidemment hors de question de nier que le spectacle est violent, brutal, même s'il est encadré par des règles strictes et obéit à un protocole rigoureux.

La dernière fois que nous y avons été, trois couples de touristes américains étaient assis devant nous. C'était visiblement leur première fois et ils n'avaient aucune idée de ce qu'ils s'apprêtaient à voir. Ce n'était pas Disneyworld. Au bout de quinze minutes, deux des femmes étaient littéralement vertes, le cœur au fond de la gorge. Ils partirent tout de suite. Nous avons gagné une rangée.

On voit bien de partout. Prendre des billets en haut permet d'avoir une perspective d'ensemble. Prendre des billets en bas permet de sentir l'émotion, l'incroyable tension, l'odeur de la sueur et du sang. D'en haut, on voit la chorégraphie. D'en bas, on voit le combat. Nous allons toujours en bas. L'essentiel est d'avoir des billets du côté ombragé de l'arène.

Jusqu'ici, nous avons assisté à des *novilladas*: de jeunes toréros en début de carrière, donc peu connus, y affrontent des animaux sauvages qui pèsent tout de même autour de 500 kilos. Plusieurs pensent que les *novilladas* sont particulièrement dangereuses pour les toréros, car ceux-ci sont peu expérimentés et peuvent être tentés de courir des risques pour épater la galerie et faire avancer leur carrière. J'ai voulu, l'autre jour, acheter des billets pour aller voir le très grand Morante de la Puebla, le maître de l'école sévillane, dont le style est très fleuri, qui est l'un des grands noms du métier en ce moment, mais il n'en restait plus.

YouTube est fort pratique pour faire visionner aux enfants des extraits de ce qui les attend. Je suis d'avis qu'il faut leur dire la vérité, mais trouver la bonne façon de la dire. Ils vont assister à une mise à mort, qui est celle du taureau dans 99,9 % des cas. Il serait stupide d'essayer de leur faire croire que le taureau fait seulement semblant d'être mort, ou que sitôt que les chevaux auront traîné son corps hors de l'arène, il va se relever et guérir de ses blessures. Si c'est pour mentir, aussi bien ne pas y aller.

Il faut longuement leur expliquer que la mort fait partie de la vie, que la lutte est l'essence des existences qui en valent la peine, que le danger est partout, que la violence vraiment gratuite et injuste est ailleurs, que sous le vernis souvent mince de la civilisation, les forces brutales de la nature ne sont jamais loin. On réalise alors la puissance du conditionnement social contre lequel on rame. Il faut en plus leur donner les principales clés historiques, mythologiques, culturelles, et bien sûr techniques de l'affaire, pour qu'ils puissent comprendre ce qu'ils voient.

Il faudrait un livre pour expliquer ce qu'est la tauromachie, et il y en a d'ailleurs d'excellents. Ce n'est pas un sport, bien que le toréro doive avoir des qualités athlétiques exceptionnelles. C'est en partie un art, car il ne faut pas seulement combattre et tuer, mais le faire avec art, bien que l'art ne soit pas au rendez-vous si le taureau ne joue pas le jeu et fuit le combat. C'est surtout, je dirais, un rite, une représentation théâtralisée de la lutte pour la vie, mais où l'on meurt pour de vrai. C'est un peu païen aussi. Les Espagnols la qualifient de *fiesta,* de fête. Il est vrai que l'affaire est haute en couleurs, les habits somptueux, la musique très présente, et que les divers protagonistes ont des rôles très précis à jouer. Mais personne n'oublie que la mort peut frapper à tout moment. Depuis plus de deux siècles, la cérémonie obéit à un rituel en trois actes qui a très peu changé. Elle se déroule sous l'autorité d'un président qui agite des mouchoirs de couleurs distinctes, dont chacune a une signification.

La tauromachie a son propre glossaire de termes. Chaque mouvement du toréro porte un nom, et son art doit consister à lier ces mouvements dans une chorégraphie qui combinera l'élégance (combattre joliment), l'efficacité (tuer proprement, sans que cela dégénère en boucherie) et la bravoure (prendre de vrais risques, mais des risques calculés). L'élevage et la sélection des taureaux qui combattront constituent une sous-culture en elle-même. Les élevages ont leur pedigree qui remonte souvent à des siècles. Quelques-uns ont un immense prestige, un peu comme certains vignobles. Les connaisseurs sont capables de reconnaître chez l'animal une morphologie et des comportements propres à l'élevage de provenance.

Le taureau de combat, le *toro bravo,* n'est pas du tout un taureau ordinaire comme celui qu'on utilise essentiellement pour engrosser les vaches. On le laisse grandir en liberté dans d'immenses domaines. Il est spécialement choisi pour son agressivité qui a été testée auparavant. Il est aussi particulièrement agressif parce que lorsqu'il entre dans l'arène, c'est la première fois de sa vie qu'il voit un homme debout devant lui, qui empiète sur ce qu'il considère comme *son* territoire et qui le provoque.

Les amateurs de tauromachie, les *aficionados,* considèrent qu'il n'y a pas de mort plus belle et noble pour un taureau – tant qu'à devoir mourir de quelque chose – qu'en luttant vaillamment dans l'arène. Plusieurs amateurs viennent autant pour étudier le comportement des taureaux, dont les caractéristiques physiques, les divers tempéraments et les moindres mouvements ont eux aussi leurs noms, que pour y apprécier le travail des humains qui les affrontent. Le toréro dispose d'un maximum de quinze minutes pour tuer le taureau. On estime en effet qu'au-delà de ce délai, l'animal finit par comprendre que le véritable adversaire n'est pas la cape rouge, mais celui qui la tient.

L'histoire de la tauromachie est évidemment jalonnée de noms de toréros légendaires – Joselito, Juan Belmonte, Manolete, El Cordobés – dont certains ont laissé leur vie dans l'arène. On trouve aussi des écoles de pensée, des caractéristiques plus associées à certaines régions et, bien sûr, des débats passionnés entre *aficionados*, les uns préférant la sobriété, d'autres, un style plus flamboyant, chacun ayant son ou ses toréros favoris. Certains taureaux sont eux aussi entrés dans la légende, pour leur meurtrière efficacité et leur bravoure, comme Islero, qui blessa mortellement l'immense Manolete en 1947, ou Avispado, qui tua Francisco Rivera « Paquirri » en 1984.

À l'heure actuelle, le toréro de plus grand renom est José Tomàs, qui ne dispute qu'une vingtaine de corridas par année, remplit les arènes, commande les plus gros cachets, refuse que ses combats soient télévisés, et qui ne donne pratiquement jamais d'entrevues, préférant laisser parler son art. Entré vivant dans la légende, on l'appelle « le toréro du silence ». Personne ne reste aussi immobile devant la charge furieuse, ni ne laisse la bête le frôler de si près. Il a souvent été encorné, mais il se relève toujours, retrouve ses esprits, retourne combattre et triomphe dans une apothéose sublime.

L'art tauromachique souffre, de nos jours, d'une double incompréhension, même en Espagne. L'une est anodine, l'autre est nettement plus problématique. L'anodine est celle de ces gens qui, sans y être hostiles, y assistent sans faire l'effort d'essayer de comprendre ce qu'ils voient. Un peu comme ces gens qui vont à l'opéra pour la première fois et règlent le sort de tout un art en deux temps et trois mouvements, parce qu'ils trouvent ridicule que l'héroïne soit plus grassette qu'Angelina Jolie.

L'incompréhension plus grave est évidemment celle de ceux qui, n'y connaissant rien, n'y comprenant rien, ne cherchant à parvenir ni à l'un ni à l'autre, s'en tiennent à la condamnation sans appel et moralisatrice d'un spectacle certes violent, mais qui n'est surtout pas que violence. La violence prend tellement toute la place dans leur esprit qu'ils n'en voient pas la beauté, la difficulté, la puissance fulgurante.

J'en ai fait l'expérience: il est parfaitement inutile de discuter avec eux. Ce sont, pour la plupart, des gens qui n'ont jamais assisté à une corrida. Leurs conclusions sont toutes tirées d'avance. Généralement, ils condamneront aussi la boxe ou la chasse, mais ils mangeront du poulet industriel élevé dans des conditions dont ils n'ont pas idée, ou ils ne se soucieront pas de ce que les océans soient vidés pour leur propre consommation. À tort, ils pensent que le plaisir que les amateurs de corrida éprouvent tient aux pulsions sadiques qui les animeraient, ce qui est une monumentale démonstration d'ignorance. Il faut assurément ne s'être jamais frotté à de véritables abominations, à l'authentique cruauté humaine, et avoir une conception furieusement aseptisée de la vie pour penser ainsi.

Évidemment, comme la chose leur déplaît, ils plaideront pour qu'on l'abolisse, c'est-à-dire pour qu'on prive les autres de leur plaisir. Ce sont généralement des étrangers. Les Espagnols, eux, s'ils n'aiment pas la corrida, se contenteront de ne pas y aller, mais ils foutront la paix aux amateurs, notamment parce qu'ils saisissent qu'elle est un élément central du patrimoine culturel de leur nation. Mais une part au moins de notre sensibilité moderne est ainsi faite: quand on n'aime pas une chose, on voudra l'interdire à tous, et quand on juge une chose bonne, on voudra l'imposer à tous, comme les casques à vélo. Interdire et obliger, les deux réflexes dominants de notre époque.

21 novembre 2009

L'herbe du voisin

Plusieurs lecteurs me demandent des nouvelles de l'Espagne, où je suis toujours. Je ne vous blâme pas de vouloir vous changer les idées. Vous allez voir, ça console.

L'*Alakrana*, ça vous dit quelque chose? Ce bateau espagnol pêchait le thon au large de la Somalie quand il a été attaqué par des pirates. Rien de politique. Du pur banditisme. Trente-six otages. Négociations secrètes.

Après quarante-sept jours de séquestration, un hélicoptère de l'armée espagnole laisse tomber sur le pont du navire la rançon demandée : 4 millions de dollars en euros. Tous les otages sont sains et saufs. Oui, le crime a payé, mais c'est facile à dire.

Il était impossible d'intervenir en force, à la russe, sans provoquer un carnage. Les familles des otages étaient à la télévision tous les soirs, en larmes. Qu'arrivera-t-il maintenant aux prochains bateaux ? C'est ça aussi gouverner. Vous auriez fait quoi ?

Le chômage, lui, devrait dépasser les 20 % en 2011. L'Espagne sera probablement le dernier pays d'Europe de l'Ouest à renouer avec la croissance. On ne parle pas ici de la Bulgarie, mais de la huitième économie au monde. C'est surtout l'immobilier qui s'est effondré ici.

Au lieu de stimuler l'investissement et la consommation, le gouvernement Zapatero veut augmenter les impôts. C'est comme mettre le pied sur le tuyau d'oxygène du patient. Le peuple est contre à... 92,6 % ! La moitié des gens voudrait moins d'impôts et accepterait moins de services. Quatre personnes sur 10 veulent les mêmes impôts et les mêmes services.

Ce gouvernement minoritaire est cependant prisonnier de son aile radicale, des petits partis et des syndicats du secteur public. Pour eux, ce n'est pas l'État qui doit être au service du citoyen, mais le citoyen qu'il faut mettre au service de l'État.

La corruption, elle, est pire que chez nous. La dernière affaire est particulièrement juteuse. L'homme montré du doigt est le richissime Francisco Correa, qui fait surtout dans la construction et l'organisation d'événements. Son « comptable » semble avoir une clé USB très compromettante.

Correa serait la tête dirigeante d'un réseau qui, en échange d'appels d'offres truqués, finançait de nombreux élus et leurs proches. L'affaire est née à Valence, mais fait tache d'huile partout dans le pays. En 2010, 300 personnes liées au milieu politique seront jugées pour corruption. Les nôtres sont des amateurs en comparaison.

Le problème va au-delà des individus. Pour fonctionner, les grands partis politiques modernes ont besoin de sommes qu'on ne peut plus récolter à coups de petits dons volontaires. On est en plein cercle vicieux : les seuls qui peuvent s'attaquer au problème sont justement les partis qui bénéficient du système. C'est particulièrement délicat dans un pays qui n'est revenu à la démocratie que dans les années soixante-dix, après quarante ans de dictature franquiste.

Le peuple réagit avec un mélange de résignation et de cynisme. Mon voisin notait que la corruption dans ce milieu était aussi normale que le miaulement chez le chat : « une expression naturelle de sa condition zoologique », disait-il. C'est évidemment injuste et exagéré, mais c'est le sentiment qui prédomine.

23 novembre 2009

Le drapeau

Pauline Marois annonce que le PQ portera désormais bien haut le drapeau de l'identité québécoise. Il faut s'en réjouir, car cette identité a bien besoin de défenseurs par les temps qui courent.

Ce n'est pas diviser les immigrants en bons et mauvais que de noter que beaucoup proviennent désormais de pays dont les valeurs sont très éloignées des nôtres. Quant à ceux qui nient nos problèmes linguistiques, ils se servent des progrès du français depuis trente ans pour occulter les reculs depuis dix ans. Sur toutes ces questions, le PLQ est tenu en otage par les anglophones et les allophones, qui sont sa base électorale la plus solide.

Ce ne sera pourtant pas facile pour le PQ. Pour quatre raisons. Premièrement, parce que la machine à culpabiliser se mettra en branle. Elle nous dira tout le mal qu'il faut penser des « frileux » qui ne s'enthousiasment pas devant le multiculturalisme à la canadienne. Elle prendra aussi un air grave pour nous dire que ces questions sont « délicates », comme si c'était une raison pour ne pas s'en occuper.

Deuxièmement, parce que le PQ lui-même vit une errance intellectuelle depuis quelques années, dont on ose espérer qu'elle est terminée. Les fédéralistes ont réussi à accréditer qu'il serait coupable d'affirmer le caractère fondamentalement identitaire du projet souverainiste. Paralysé par la peur d'être taxé de racisme, le PQ se plaint de la mauvaise intégration des immigrants, mais a voté avec le PLQ pour accroître encore leur nombre.

La troisième raison tient à l'humeur populaire. Mme Marois a raison d'être prudente avant de s'engager sur une voie comme l'imposition de la loi 101 au niveau collégial. Il suffit de fréquenter des jeunes de cet âge pour en ressortir profondément troublé.

Il n'y a pour eux aucun vrai problème linguistique. Comme employés, ils répondent en anglais au client anglophone, mais comme clients, ils n'exigent pas d'être servis en français. Ils passent automatiquement à l'anglais devant tout accent exotique. La langue n'est pas pour eux l'expression d'une culture, mais un outil de communication détaché de tout rapport de force social. L'important, c'est de se faire comprendre, et d'être « ouverts » et « tolérants ».

Quatrièmement, le PQ se heurtera à l'habituel barrage d'idées fausses devenues « vraies » à force d'être martelées. Laisser croire, par exemple, que l'immigration solutionnera les pénuries de main-d'œuvre ou rajeunira le Québec est une fumisterie. L'immigration a de nombreuses retombées positives, mais pas celles-là.

L'âge moyen des immigrants est de 30 ans. Beaucoup d'entre eux n'auront donc pas d'enfants. Leur fécondité épouse aussi rapidement celle des Québécois de souche. Pour empêcher la main-d'œuvre de baisser, le Québec devrait, selon Statistique Canada, accueillir 300 000 arrivants annuellement, soit le nombre total qui entre au Canada. Invraisemblable.

Il est vrai que l'identité des peuples évolue. Être Québécois ne signifie pas la même chose aujourd'hui que jadis. La vitalité d'une nation ne réside donc pas dans la protection d'une imaginaire pureté originale, mais dans sa capacité d'intégration autour de valeurs communes. Pour être fortes, ces valeurs doivent cependant être ancrées dans l'histoire et la culture de la majorité qui ouvre ses bras. Et elles doivent être défendues sans complexes.

30 novembre 2009

L'homme et les loups

Aitana avait trois ans. Diego, lui, en a 23. Les yeux noirs, le regard par en dessous. Il est le nouveau conjoint de la mère. Le jour, il s'occupe de la petite pendant que la mère travaille.

Mardi de la semaine dernière, Diego amène Aitana à l'hôpital. La petite vient de s'évanouir. Elle se plaignait de maux de tête depuis trois jours. Diego prétend que, le dimanche précédent, la petite est tombée d'un toboggan en jouant au parc. Il avait, dit-il, immédiatement amené Aitana à la clinique du quartier. On la retourna chez elle avec une prescription pour un analgésique.

Le médecin de l'hôpital réanime la petite, mais la garde sous observation. Il remarque des marques de brûlure dans les régions vaginale et anale. Il active donc le protocole prévu dans les cas d'agression sexuelle. Deux jours plus tard, Aitana meurt.

La police arrête Diego. Interrogé sans relâche, il s'accroche à sa ridicule histoire du toboggan. La mère de la petite dit la même chose. Les médias se déchaînent. Le visage de Diego est partout. Un journal titre : « Le regard de l'assassin ». Les voisins, qui ne s'étaient jamais aperçus de rien, trouvent maintenant qu'il avait un « drôle d'air ».

Quand Diego est conduit du poste de police à la prison pour sa détention préventive, c'est évidemment le cirque romain. Le peuple veut du sang. Voyez ce regard torve : c'est clair et net. À la télévision, les experts en violence domestique disent ce qu'on dit toujours en pareilles circonstances.

Puis vint l'autopsie du corps de la petite. Il n'y a jamais eu d'agression sexuelle. Les « brûlures » étaient des réactions allergiques à la crème utilisée sur ses fesses. Les hématomes sur son ventre avaient été causés par les tentatives de réanimation.

Une deuxième autopsie établit indiscutablement que la cause de la mort était bien le coup à la tête reçu en chutant. Un témoin de la scène confirmait la gravité du choc, mais qui l'écoutait ?

Diego est relâché. Son avocat rapporte qu'il ne dort plus, ne mange plus, vomit, tremble et est sous surveillance psychiatrique. Bref, il n'est pas en état de chercher où est passée sa présomption d'innocence. Un homme brisé, peut-être pour toujours.

Son avocat se demande tout haut qui va s'excuser. Un naïf, de toute évidence. Car personne n'a tort, voyez-vous. Ils ont tous suivi le « protocole », celui qui déclenche la machine qui ne pense pas et n'a pas de freins. Celle qui est là pour notre bien, évidemment.

La protection de la jeunesse locale a émis un communiqué, non pour s'excuser, mais pour dire que ce n'était pas elle qui avait remis aux médias le diagnostic médical erroné. Les autorités sanitaires disent que le « protocole » prévoit d'aviser la police au moindre soupçon. La police dit qu'elle agit toujours de la même manière dans ce genre de situations. Les médias, eux, disent que nous avions « le droit de savoir ».

Le petit avocat va attendre longtemps des excuses et une quelconque compensation pour son client. Voyez-vous, il n'y a pas de « protocole » là-dessus. Aitana a été enterrée hier à Madrid.

2 décembre 2009

Tintin chez les Helvètes

Quand la tribu médiatico-politique est unanime, je me méfie instinctivement. Après vérification, la réalité est toujours plus compliquée.

Les sondeurs n'avaient rien vu venir: dans un référendum, 57,5 % des Suisses ont voté pour l'interdiction de construire de nouveaux minarets. Un minaret, c'est la tour du haut de laquelle on appelle les musulmans à la prière. Il n'est pas obligatoire qu'une mosquée en ait un.

À l'extérieur de la Suisse, les réactions ont immédiatement fusé: un vote « haineux », « honteux », un « retour du fascisme ». Rien de moins.

La Suisse paraît en effet bien mal. On n'y compte que 4 minarets sur 200 mosquées. Une réglementation municipale aurait probablement suffi. Les pancartes assimilant les minarets à des missiles étaient profondément malhonnêtes. Les musulmans ont-ils raison de se sentir injustement visés ? Oui.

Les minarets n'étaient évidemment qu'un prétexte. Le référendum a fait s'exprimer le malaise d'une majorité qui voit une communauté religieuse en croissance exponentielle s'affirmer fortement sur la place publique. De la même façon, au Québec, la crise des accommodements raisonnables ne portait pas vraiment sur des femmes en collants faisant de la gymnastique.

Pour le politologue suisse Michael Hermann, un score aussi élevé signifie qu'au vote xénophobe de droite s'est ajouté un vote laïque et féministe de gauche. L'idéologue islamiste Tariq Ramadan a aussi donné un formidable élan au camp de l'interdiction en admettant que le minaret était une affirmation politico-identitaire et non une prescription religieuse.

La Suisse compte seulement 7,8 millions d'habitants, comme le Québec. En 1970, il y avait 16 000 musulmans en Suisse. En 1980, le nombre était passé à 57 000. Aujourd'hui, c'est 400 000. La question se pose: peut-on intégrer de tels volumes, si rapidement, sans qu'une petite société se sente bousculée ?

Non, car justement, on n'intègre plus. Dès lors, c'est l'engrenage: chômage, pauvreté, exclusion, colère, criminalité. Le *Washington Post* du 29 avril 2008 rapportait qu'en France, par exemple, entre 60 et 70 % de la population carcérale est musulmane, composée pour la plupart d'enfants d'immigrants.

La Turquie est le pays musulman qui a le plus durement critiqué la Suisse. Saviez-vous que, jusqu'en 2003, il était interdit d'y construire des lieux de culte non musulmans ? Comme la Turquie veut maintenant joindre l'Union européenne, on a abrogé cette interdiction et on est devenu plus subtil.

À Ankara, la réglementation municipale exige désormais que les lieux de culte aient une superficie minimale de 2500 mètres carrés. Dans un pays à 99 % musulman, les autres confessions sont forcément pauvres. Elles n'ont donc pas les moyens de construire si gros ou, si elles les ont, la Ville leur dit alors qu'il n'y a pas assez d'espace pour de si gros projets. Le premier ministre turc, Tayyip Erdogan, a aussi déjà écrit que les minarets étaient les « baïonnettes » de l'islam. C'est rassurant.

Dans toutes les sociétés occidentales, la mauvaise intégration des immigrants et la funeste idéologie multiculturaliste alimentent un malaise identitaire réel. Le nier ou le réduire à un acte d'accusation contre la majorité, c'est garantir que lorsque ce malaise s'exprimera, il sortira tout croche.

9 décembre 2009

L'imposture

Il faut lire de toute urgence l'étude faite par Joëlle Quérin du contenu réel du cours Éthique et culture religieuse. On peut la télécharger en allant au http://irq.qc.ca/storage/etudes/IRQEtude5.pdf.

Je dis « réel » car, depuis des années, il y a fausse représentation. Citant les textes des concepteurs du cours, Joëlle Quérin montre ce que nous sommes plusieurs à dire depuis des années : que ce « cours » ne vise pas à instruire, mais à endoctriner.

Endoctriner à quoi ? Au multiculturalisme à la canadienne, bien sûr, c'est-à-dire à l'idée qu'il faut transformer la manière de penser et d'agir de la majorité pour l'adapter aux minorités qui pourront, pour l'essentiel, conserver les manières de penser et de vivre de leurs pays d'origine.

Quand ma famille et moi sommes arrivés au Québec, en provenance de l'Uruguay, en 1970, il allait de soi que c'était à nous de nous ajuster. Simple question de respect : le peuple québécois nous ouvrait les bras alors qu'il n'était pas obligé de le faire. C'était avant que le multiculturalisme devienne l'idéologie dominante au Canada.

Depuis, il est toujours autant question de respecter l'autre, mais le respect a changé de camp : c'est désormais à la majorité, au nom du respect des minorités, de s'abstenir de poser ses valeurs à elle comme fondement de nos règles de vie.

Les promoteurs de ce cours disent qu'il vise à former de bons citoyens, ouverts aux autres cultures et respectueux des différences. Qui pourrait bien être contre ça ? C'est ici qu'il y a fausse représentation. Pour eux, le « bon » citoyen n'est pas celui qui connaît, respecte... et décide ensuite si cela lui convient ou pas. Non, le bon citoyen est celui qui accepte.

Autrement dit, savoir ce que sont et d'où viennent le voile islamique ou le poignard sikh pour ensuite décider qu'on n'en veut pas chez nous n'est même pas envisagé. Ce serait être contre « l'ouverture », contre le « respect », contre la « démocratie ».

Acceptation rime désormais avec soumission. Le Québec est conçu comme une terre vierge ou presque, où le nouvel arrivant peut, avec des contraintes minimales, reproduire des modes de vie qui reposent souvent sur des valeurs dont l'Occident a choisi de s'extraire depuis des centaines d'années.

Il n'est jamais sérieusement envisagé que le petit Tremblay est porteur d'une culture et de valeurs que le petit Singh ou le petit Abdallah pourraient trouver belles et adopter. Ben voyons, ce serait une imposition « autoritaire » et « frileuse ». Spectaculaire renversement : depuis des siècles, on pensait plutôt que c'était aux nouveaux arrivants de faire le gros du chemin.

Si on veut sérieusement enseigner l'histoire des religions, on le fait dans un cours d'histoire donné par un historien de métier. Si on veut enseigner la réflexion éthique, il existe une discipline millénaire qui s'en occupe : la philosophie. Autrement dit, si vous enlevez du cours ECR tout ce qui devrait normalement trouver sa place dans une école réconciliée avec le bon sens, que reste-t-il ? Les fantasmes idéologiques de gens qui veulent s'assurer que les enfants ne verront plus jamais le monde comme leurs parents.

14 décembre 2009

Vive la Catalogne libre ?

Un ami du Québec me demandait des nouvelles du nationalisme catalan. Il se passe justement de drôles de choses, ces temps-ci, en Catalogne.

La Catalogne a une population de sept millions de personnes. C'est indéniablement la région la plus prospère et la plus dynamique d'Espagne. Barcelone y est la principale ville. Dimanche dernier, dans 166 municipalités de la région, qui regroupent environ 700 000 habitants, avaient lieu un référendum sur l'indépendance de la Catalogne.

Ce fut une victoire du oui... à 94,7 %. Un résultat qui donne des palpitations cardiaques à un souverainiste québécois comme moi. Un résultat aussi clair que le vote fédéraliste dans Westmount. Mais vous vous doutez bien que ce n'est pas si simple.

Le référendum n'avait aucune portée légale. Il avait été organisé non par les autorités catalanes, mais par une coalition d'organisations indépendantistes. Les Catalans opposés à l'initiative l'ont donc boycottée. Le taux de participation a été de 30 %, comme dans une élection partielle chez nous. On estime que 20 % seulement des Catalans veulent l'indépendance complète. La Catalogne, qui a beaucoup moins de pouvoirs que le Québec, n'est donc pas à la veille de quitter l'Espagne. Le vrai but derrière l'opération référendaire était tactique.

En 2006, le gouvernement catalan avait organisé un « vrai » référendum pour faire approuver une proposition de nouveau partage des pouvoirs constitutionnels qui donnerait à la Catalogne beaucoup plus d'autonomie. Une majorité de 57 % a voté en sa faveur. Le texte, qu'on appelle ici le Statut d'Autonomie a ensuite été ratifié par une majorité des députés au Parlement central de Madrid.

L'opposition officielle, le Parti populaire, s'est toutefois adressée au Tribunal constitutionnel, qui est l'équivalent espagnol de la Cour suprême, pour qu'il stoppe tout cela. Il s'oppose notamment à la reconnaissance de la Catalogne comme « nation », et il estime que toute la démarche est clairement anticonstitutionnelle. Un petit air de famille, non ?

Le Tribunal devrait bientôt rendre sa décision après trois ans de délibérations. Beaucoup d'analystes s'attendent à ce qu'il invalide toute la démarche. Le référendum de dimanche visait donc à faire pression sur lui. Si le tribunal devait rejeter le Statut d'Autonomie, il y aurait une vraie crise politique.

Il y a deux semaines, dans un geste exceptionnel, les 12 quotidiens publiés en Catalogne ont fait paraître, le même jour, un éditorial commun réclamant l'approbation du Statut d'Autonomie. Vous imaginez les quotidiens de Quebecor, de Gesca et *The Gazette* se donnant la main pour réclamer ensemble plus de pouvoirs pour le Québec ? Non, je n'ai rien fumé.

Chose certaine, on sent une nouvelle effervescence souverainiste en Catalogne, au sein de laquelle la présence des jeunes est frappante. Traditionnellement, le nationalisme catalan s'exprimait à travers deux partis politiques : Esquerra Republicana, qui est de gauche, et Convergència i Unió, de droite modérée, fondé par Jordi Pujol, le René Lévesque catalan. Ils ne réclament pas la souveraineté complète, mais ne l'excluent pas non plus.

Ces deux partis sont nerveux : ils craignent d'être débordés par ce nouveau bouillonnement. Plusieurs voix se font en effet entendre pour réclamer la création d'un parti exclusivement voué à la souveraineté, et qui ne s'enfargerait pas dans les débats entre la gauche et la droite. On croirait entendre feu Marcel Léger : la souveraineté, disent ces gens, n'est ni à gauche ni à droite, mais en avant.

On trouve chez les indépendantistes catalans toute une gamme de sensibilités et de profils. La porte-parole du camp du oui pendant cette campagne référendaire dont je parlais plus tôt, Anna Arqué, a moins de quarante ans. Spécialiste en stratégies financières, elle a vécu en Angleterre, en France et au Portugal. Pour la fermeture d'esprit, il faudra chercher ailleurs. C'est justement le fait d'avoir vécu à l'étranger, explique-t-elle, qui lui a fait réaliser l'importance de protéger son identité nationale, porteuse d'histoire et de mémoire, et donc de points de repère.

« Qu'y a-t-il d'étrange, dit-elle, à ce qu'une vieille nation au cœur de l'Europe veuille avoir son propre État ? » Une argumentation qu'on connaît bien au Québec : la normalité de vouloir contrôler son destin et d'être maître chez soi. Elle ne veut cependant pas militer dans un parti politique qui fera toujours, craint-elle, primer les calculs tactiques et les ambitions personnelles.

Le notaire Alfons Lòpez Tena, lui, veut plutôt travailler de l'intérieur de l'appareil politique. Il espère persuader Convergencia y Uniò, le grand parti nationaliste traditionnel, de devenir carrément indépendantiste. Une proposition qui entraîne un dilemme que les péquistes connaissent : plus on parle de tenir un référendum, plus on s'éloigne du pouvoir, mais si on prend le pouvoir sans mandat explicite, on fait quoi ensuite... à part offrir un « bon gouvernement » ?

Ses motivations se fondent plutôt sur ses doléances à l'endroit du gouvernement central espagnol : rejet par Madrid d'un statut particulier, d'un nouveau partage fiscal, d'équipes sportives nationales catalanes, de plaques d'immatriculation distinctes, etc.

Joan Laporta, le président du FC Barcelone, le meilleur club de soccer au monde en ce moment, est également un des plus chauds partisans du souverainisme catalan. Il ne manque pas une occasion d'en parler. Vous imaginez la direction du Canadien faisant pareil ? Non, vous ne pouvez pas imaginer. Moi non plus.

On veut souvent nous faire croire que, dans le monde d'aujourd'hui, les identités nationales seraient une survivance un peu ringarde qu'il faudrait savoir dépasser. À leur manière, les Catalans s'obstinent à penser autrement. Comme nous.

16 décembre 2009

Eux aussi

Les sociétés occidentales sont toutes balayées par les mêmes vents. Et croyez-moi, ce n'est pas plus facile chez elles que chez nous.

J'étais récemment à Valladolid, qui est à environ deux heures de route au nord-ouest de Madrid. Ancienne capitale du royaume de Castille-et-León, c'est une ville un peu plus petite que Québec. On y trouve un collège public comme tant d'autres, appelé Macìas Picavea.

Le père d'un enfant qui fréquente le collège demande que l'on retire les crucifix des salles de classe. Le conseil d'administration décide de ne pas donner suite. Affaire classée ? Pas tout à fait.

Une association qui fait la promotion de la laïcisation complète des écoles s'empare alors de la question et, au nom du père, conteste la décision du collège devant les tribunaux. Un juge de première instance lui donne raison et ordonne le retrait de tous les crucifix.

Les autorités politiques locales sentent venir la tempête. Elles demandent de suspendre l'exécution de la décision. Le juge ne voit pas de motifs suffisants. On retire donc les crucifix. Cette fois, ce sont les autorités politiques déboutées en première instance, de même qu'une association de parents catholiques, qui portent en appel la décision du juge.

La décision du Tribunal supérieur de Castille-et-León vient de tomber. Une décision à la Salomon : on laisse les crucifix en place, mais on les retirera des salles dans lesquelles se trouveront un ou des enfants dont les parents demanderont à ce qu'on les enlève.

On ne peut plus, soutient la Cour, imposer à tous des symboles religieux, mais on ne peut pas non plus exiger leur disparition totale de tous les lieux publics. L'affaire, j'en suis sûr, n'est pas terminée.

Au même moment, à Madrid, un groupe de députés de la coalition au pouvoir a cru bien faire en votant une motion enjoignant l'ensemble du réseau scolaire public d'enlever, une fois pour toutes, tout symbole religieux. Une argumentation qu'on connaît bien chez nous : si la croix est désormais un symbole culturel et patrimonial plutôt que religieux, disaient-ils, sa place est dans un musée. Devant le tollé, le gouvernement Zapatero a rapidement dû les désavouer.

Dans les démocraties avancées, ces patates chaudes sont désormais refilées aux juges ou à des groupes d'« experts ». Dans le premier cas, les tribunaux rendent des jugements qui sont de purs reflets de l'air du temps, sans profondeur historique et philosophique, précisément parce que ce droit est lui-même issu d'une société qui s'est éloignée de ses racines sous prétexte de progrès.

Dans le second cas, ces experts ont souvent passé toute leur vie adulte dans une bulle universitaire largement coupée du sentiment populaire. Dans ce milieu, le sentiment populaire est souvent traité avec une condescendance à peine dissimulée. Dans un cas comme dans l'autre, faut-il s'étonner que leurs conclusions ne calment jamais le débat ?

Ces discussions n'ont évidemment lieu que dans une poignée de sociétés occidentales. Ailleurs dans le monde, la personne qui demanderait qu'on enlève les symboles religieux de la majorité parce qu'ils heurtent ses convictions risquerait de passer un très mauvais quart d'heure.

21 décembre 2009

Noël en Hispanie

Quand mes enfants étaient petits, nous laissions toujours deux biscuits et un verre de lait sur le bord de la cheminée. Le Père Noël devait pouvoir se ravitailler pour tenir le coup toute la nuit.

Dès que nous sommes arrivés à Madrid, les enfants m'ont demandé, sourire en coin, comment le Père Noël entrerait dans des appartements sans cheminée. Nous venons d'avoir la réponse.

Depuis quelques jours, les Madrilènes accrochent à leurs balcons des Pères Noël grimpant le long d'une corde. La première fois que j'en ai vu un, tout vêtu de rouge, je l'ai pris pour un pompier nain.

Quand j'étais enfant, en Uruguay, les cadeaux étaient distribués par les Rois mages, ce qui, on en conviendra, est plus conforme au récit biblique. La nuit magique, c'était donc le 6 janvier.

Je garde un vague souvenir de mes six ans. Pendant que je faisais semblant de dormir, un personnage qui ressemblait curieusement à mon père déposait au pied de mon lit une bicyclette jaune. Ses vêtements royaux avaient des allures de pyjama. Je n'ai jamais su si c'était Gaspard ou Melchior, mais je vous jure que ce n'était pas Balthazar.

Ici, en Espagne, ce sont aussi les Rois mages qui ont longtemps fait la distribution des cadeaux aux enfants sages. Mais le Père Noël s'impose de plus en plus. L'idée est que si les enfants reçoivent leurs cadeaux le 25 décembre plutôt que le 6 janvier, ils auront plus de temps pour en profiter avant la reprise de l'école.

Les adultes, eux, se donnent souvent de la nourriture en cadeau. Les épiceries fines préparent de somptueux paniers contenant une énorme patte de jambon séché, des saucissons, des roues de fromage, des truffes au chocolat et des huiles d'olive. Je vous le dis, l'Espagne est un des pires pays au monde pour y entreprendre une diète.

Comme je n'ai pas d'auto, mon voisin, qui est facteur, et sa femme, qui enseigne l'allemand, nous emmènent souvent à la poissonnerie. J'y découvre des fruits de mer dont j'ignorais jusqu'à l'existence. Je leur demande souvent comment on fait pour ouvrir tel ou tel crustacé d'étrange allure. Ils doivent me trouver un peu primitif.

Certes, il faut parfois avoir le cœur bien accroché : dans un bœuf, par exemple, on mange tout, sauf les cornes et les sabots. Mais si on est gastronomiquement aventureux, c'est le paradis. Oui, il y a des plats traditionnels de Noël, mais pas un qui est plus ultratypique que tous les autres, comme la dinde chez nous.

Il neige plus que ce que nous pensions. L'autre jour, à Teruel, à environ 200 kilomètres à l'est de Madrid, il est tombé 30 centimètres. À la télévision, on aurait dit notre grand verglas de 1998. La désorganisation sociale absolue.

Le concept du pneu d'hiver est inconnu. Il ne neige pas assez souvent pour cela. À la moindre chute de neige, les routes se transforment donc en circuits d'autos tamponneuses. C'est assez divertissant. Bon, assez jasé, allez faire ce que vous avez à faire.

J'offre mes meilleurs vœux de Noël à tous nos lecteurs.

23 décembre 2009

Un fait accompli

Attablé l'autre jour dans un café que j'aime bien, près de la Puerta del Sol, je feuilletais distraitement un journal quand un petit article attira mon attention.

En février 2008, le Kosovo déclara unilatéralement son indépendance. Cette indépendance ne fut cependant jamais reconnue par la Serbie, un pays né lui aussi des ruines fumantes de l'ex-Yougoslavie, qui continue à ce jour à soutenir que le Kosovo fait partie intégrante de son territoire.

La Serbie demanda donc au Tribunal international de Justice, qui est la plus haute autorité judiciaire de l'ONU, un avis consultatif sur la légalité de cette sécession. Le tribunal invita ensuite les membres de l'ONU qui le désiraient à soumettre leurs opinions sur la question. Une trentaine de pays ont répondu à l'invitation, dont l'Espagne, qui vient de faire connaître sa position.

L'Espagne ne reconnaît pas l'indépendance du Kosovo et demande que l'ONU la déclare illégale. Elle fait valoir que le droit à l'autodétermination des peuples n'est pas absolu : il faut, dit-elle, le consentement des autorités du pays que veut quitter le peuple qui proclame sa souveraineté. Une déclaration unilatérale n'est admissible que dans les cas où il y a de claires violations des droits humains, ce qui n'est pas le cas ici.

Elle soutient aussi que le Conseil de sécurité de l'ONU est la clé de voûte du droit international. Or, la seule résolution adoptée par celui-ci sur le sujet repoussait à un futur indéterminé le statut politique éventuel du Kosovo. Aucun nouveau développement n'est survenu depuis qui justifierait, soutient-elle, de faire comme si cette résolution 1.244 n'existait plus.

Les raisons de l'Espagne pour agir ainsi sont limpides : elle ne veut pas donner le plus petit encouragement aux indépendantistes catalans ou basques, qui sont peu nombreux mais très remuants. La politique internationale est souvent conditionnée par la politique domestique. Si Nicolas Sarkozy a lâché les souverainistes québécois, c'est parce qu'il voit bien la situation qui prévaut chez nous.

Plaidant la position inverse de celle de l'Espagne, les États-Unis ont fait valoir, fondamentalement, la logique du fait accompli.

À partir du moment où les sécessionnistes contrôlent de facto un territoire viable, qu'un accord entre les deux parties est impossible et que la nouvelle situation est celle qui assure le mieux la stabilité future de la région, on ne saurait invoquer le droit pour faire marche arrière. Quand une question est à la fois politique et juridique, dit le représentant des États-Unis, le droit ne doit pas servir à nier une volonté démocratique manifeste ou à s'interdire d'apprécier le caractère unique de chaque situation.

De plus, la résolution 1.244, ajouta le plaideur américain, référait à l'ex-Yougoslavie et non à la Serbie. Si, lors de l'éclatement de la Yougoslavie, la communauté internationale avait reconnu de facto l'indépendance de la Serbie et du Monténégro, cette même logique doit aujourd'hui s'appliquer au Kosovo.

Le droit, concluaient les États-Unis, est un instrument pour lubrifier des rapports sociaux ancrés dans le réel, et non pour essayer de faire tourner les aiguilles d'une horloge dans le sens contraire de l'histoire. Devinez quelle position va finir par prévaloir.

28 décembre 2009

Le divin sourire

Je n'en ai peut-être pas trop l'air, mais je suis tout de même capable de comprendre qu'il ne faut pas être trop sérieux à deux jours du Nouvel An.

Humour et politique ne sont pas deux univers qu'on associe spontanément. Pourtant, au point où nous en sommes, ça ne pourrait sans doute que faire du bien.

C'est ce qu'ont dû se dire le ministère espagnol de la Justice et le Centre Unesco de Catalogne. Conjointement, ils viennent de publier un recueil de blagues sur les différentes religions intitulé *Le divin sourire*. Vous allez voir, ce n'est rien de très méchant, puisque les auteurs ne cachent pas qu'ils ont fait bien attention pour ne pas offenser.

Le gag catholique. Trois curés se demandent comment se débarrasser des chauves-souris qui infestent leurs églises. Le premier dit : « Je leur ai tiré dessus avec un fusil, mais tout ce que j'ai réussi à faire, ce sont des trous dans les murs. » Le second dit : « J'ai mis du poison et elles sont parties, mais elles sont rapidement revenues. » Et le troisième de conclure : « Je les ai accueillies dans mon église, je les ai baptisées... et je leur ai parlé de la quête ; elles ne sont plus jamais revenues ! »

Le gag juif, évidemment le meilleur. Un fils demande à son père : « Papa, dis-moi, qu'est-ce que l'éthique ? » Et le père, qui est commerçant, répond : « Fils, je vais t'expliquer : imagine qu'un client entre dans notre magasin, achète des marchandises pour cinquante dollars, mais me donne par erreur un billet de cent dollars et s'en va ; l'éthique, c'est de me demander si je le dis à mon associé ou pas. »

Le gag athée. Pourquoi tant de fonctionnaires sont-ils athées ? Parce qu'il n'y a pas de vie meilleure.

Le gag musulman. L'imam Nasreddine se promène sur son âne. Il s'arrête, descend, fait une petite sieste et, à son réveil, s'aperçoit que l'âne a disparu. Il rentre au village tout content, s'écriant : « Allah est grand ! » Étonnés, les autres lui demandent : « Mais… n'aimais-tu pas ton âne ? » Et l'imam de répondre : « Bande d'idiots, si l'âne se perd, je remercie Allah de ne pas avoir été dessus. »

Le gag bouddhiste. On demande au moine : « Maître, vous qui êtes un savant, qu'y a-t-il après la mort ? » Il répond : « Je n'en sais rien. » Nouvelle question : « Mais n'êtes-vous pas un savant ? » Et le moine tranche : « Savant, oui, mort, non. »

Le gag du spécialiste en « sciences religieuses ». Quelle différence y a-t-il entre un philosophe et un théologien ? Le philosophe passe sa vie enfermé dans une pièce noire à chercher un chat noir avec des yeux noirs. Le théologien, lui, passe sa vie à chercher un chat noir avec des yeux noirs dans une pièce noire… où il n'y a pas de chat.

J'ai feuilleté rapidement le recueil. Les responsables de la compilation font une observation très juste. Humour et religion deviennent davantage compatibles quand on rit de sa propre religion. C'est quand on se moque de celle des autres qu'on s'aventure en terrain glissant.

30 décembre 2009

Carnets de voyage

La semaine prochaine, je reviens au Québec pour quelques jours afin d'y lancer un livre que je publie aux éditions Boréal. Auparavant, j'ai profité des vacances de Noël pour faire une virée familiale dans le nord de l'Espagne.

Nous sommes partis vers la Galice, puis avons longé la côte atlantique, arrêtant successivement à Oviedo dans les Asturies, à Santander dans la Cantabrie, et à Bilbao, dans le Pays basque. Nous avons ensuite bifurqué vers Barcelone avant de rentrer à Madrid pour le retour des classes. Nous avons tout fait en autobus et en train.

Le nord est beaucoup moins affecté par le tourisme de masse et le développement immobilier. On n'y trouve pas les clichés espagnols habituels: ici, pas de flamenco, peu de taureaux, et l'eau des plages y est froide comme à Old Orchard.

Pourtant, un peu partout, des villages de pierre où peu de chose a changé depuis des siècles et des vieilles femmes en noir de la tête aux pieds. Et, bien sûr, des églises devant lesquelles des agnostiques comme moi se disent qu'il faut respecter une croyance qui a eu la puissance d'inspirer de tels chefs-d'œuvre.

C'est aussi une Espagne plus verte que l'autre, plus montagneuse, avec des falaises rocheuses qui rappellent parfois la Gaspésie. On y voit une autre sorte de tourisme: moins d'étrangers et davantage d'Espagnols. C'est aussi un tourisme plus culturel et sportif: musées, monastères et randonnées pédestres, plutôt que plages, discothèques et parcs d'amusement.

Sur le plan culinaire, j'ai comme règle absolue d'essayer toutes les coutumes locales. Dans les Asturies, la boisson locale, c'est le cidre, qui n'a rien à voir avec celui de chez nous. Sa dégustation obéit à un rituel que vous devez scrupuleusement respecter.

Vous ne vous servez pas vous-même. Seul le serveur touche à la bouteille. Il la place le plus haut possible au-dessus de sa tête en tenant le bras rigide. Le verre est à la hauteur de son genou. Il doit ensuite laisser tomber le liquide directement dans le verre, sans regarder ni le verre ni la bouteille, avec le moins de perte possible. Vous essaierez.

Quand vous arrivez au fond de votre verre, vous jetez les dernières gouttes par terre. On met du bran de scie par terre pour éponger. Folklore? Pas uniquement. Le serveur m'a expliqué: comme le cidre ne contient aucun gaz, c'est la hauteur de la chute qui lui donne un minimum de mousse.

À Bilbao, le musée Guggenheim vaut à lui seul le déplacement. On dirait un gigantesque paquebot en titane pris dans des vagues déchaînées. Les photos ne lui rendent pas justice. La collection, elle, vous réconcilie avec l'art moderne.

Une œuvre m'a frappée. La mère de l'artiste demande à un détective privé de suivre sa fille et de la photographier. L'artiste sait donc qu'elle est suivie, mais le détective ne sait pas qu'elle le sait.

L'artiste fait ensuite un montage aves les photos remises à la mère. Étrange et troublant.

La suite dans deux jours. On se replongera dans les affaires québécoises quand il se passera quelque chose.

11 janvier 2010

Carnets de voyage (2)

Chaque peuple vit à sa manière le choc entre la tradition et la modernité.

Je vous racontais lundi que je m'étais promené dans le nord de l'Espagne pendant les Fêtes. Dans la Cantabrie, à 20 kilomètres de Santander, on trouve un petit village appelé Santillana del Mar. Jean-Paul Sartre écrivit un jour que c'était le plus beau village d'Espagne et ce fut la fin de la tranquillité. Les autocars de touristes se mirent à déferler.

L'endroit est effectivement charmant. Hormis les automobiles et quelques fils électriques, l'essentiel est miraculeusement préservé. On se croirait en plein Moyen Âge.

L'une des idées fortes de notre époque est que la violence est uniformément mauvaise. On trouve pourtant dans ce village rien de moins qu'un petit musée de la torture. Oui, Madame.

Une des choses les plus bizarres que j'ai jamais vues. Une collection parfaitement macabre d'instruments utilisés par l'Église catholique romaine pour que les hérétiques avouent leurs déviances et se repentent. Il faut dire que la Sainte Inquisition fut, pendant les XVe et XVIe siècles, particulièrement zélée en Espagne.

Les touristes qui déambulent là-dedans sont profondément troublés. Certains deviennent carrément verts. Mais le fait est que ce musée existe et qu'il n'y a pas de manifestants dans la rue avec des pancartes qui en réclament la fermeture. Le passage du temps permet ici de regarder sereinement le passé dans toutes ses dimensions. Parfaitement impensable en Amérique du Nord.

Autre observation liée à la précédente : les femmes âgées portent beaucoup plus de manteaux de fourrure que chez nous. On se croirait dans nos années soixante-dix. Le discours moderne et guimauve contre la cruauté envers les animaux a très peu d'échos ici.

Ne me comprenez pas de travers : les Espagnols aiment les animaux autant que nous. Ils rigolent simplement à cette idée selon laquelle l'animal serait un être porteur de droits légaux et qui en ferait presque l'égal de l'humain. Pour eux, il y a une hiérarchie naturelle dont nous sommes le sommet. Il faut simplement ne pas en abuser.

D'autres fois, c'est nous qui devrions leur donner des leçons. On trouve en Espagne un formidable système d'achat de billets de spectacles par Internet. Vous pouvez ensuite les imprimer vous-même à la maison où dans pratiquement n'importe quel guichet automatique d'une banque. Mais les gens préfèrent poireauter dans d'interminables files d'attente. Nous leur passions sous le nez en rigolant.

Par contre, à la poissonnerie, même quand on peut prendre des numéros pour établir un ordre, les gens se demandent entre eux qui est arrivé le dernier et se fient à la parole de chacun. Gare à celui qui voudrait faire le malin et se faufiler. Une formidable démonstration de civisme.

Évidemment, les McDonald's et les Burger King prolifèrent. Mais même lorsqu'ils s'installent dans un lieu sans valeur patrimoniale, ils sont intégrés dans l'édifice qui est déjà là, plutôt que posés sur un terrain rasé exprès pour eux. Le manque d'espace et le souci esthétique vont main dans la main.

C'est cependant en Espagne que j'ai découvert le comble absolu de la quétainerie. Je me le garde en réserve. Patience.

13 janvier 2010

L'absurde et le sublime

Barcelone est tout ce que Montréal pourrait et devrait être. Comme Montréal, elle est la principale ville d'une nation qui veut s'affirmer politiquement et faire s'épanouir sa spécificité culturelle. Barcelone a longtemps vécu dans l'ombre de Madrid, un peu comme Montréal depuis qu'elle a été déclassée par Toronto, bien que les Catalans ne m'aient jamais semblé avoir le moindre complexe d'infériorité vis-à-vis de quiconque.

Chose certaine, la métropole catalane a aujourd'hui superbement triomphé de l'adversité. Son dynamisme est sidérant. Plus elle en a, plus elle en veut. On est alors tenté de penser que le parallèle le plus juste serait celui de la renaissance de Québec devant le déclin tranquille de Montréal, sauf que Madrid est tout ce qu'on veut sauf déclinante et somnolente.

On ne peut évidemment visiter Barcelone, qui mérite au minimum 5 jours pour n'en effleurer que la surface, sans aller voir l'église de La Sagrada Familia, devenue sans doute le monument le plus connu de la ville. Les gens qui ne font pas leurs devoirs sont parfois déçus quand ils découvrent qu'elle est très loin d'être terminée. Débutée en 1882, on y travaille encore dans le respect des plans originaux d'Antoni Gaudi, son génial architecte. Elle devrait être complétée, pense-t-on, en 2030. J'aurai alors 69 ans. Avec un peu de chance...

La ville de Barcelone est saupoudrée d'œuvres de Gaudi, souvent inachevées, tant ce qui germait de son cerveau était original et tarabiscoté. Son style est si personnel que même les enfants catalans le reconnaissent sans toujours savoir avec certitude si ce qu'ils ont sous leurs yeux est bien de lui. En tout cas, ceux qui ont vu La Sagrada Familia et ses autres projets peuvent témoigner qu'ils ne ressemblent à rien d'autre.

Enfant solitaire et de santé fragile, Gaudi passa énormément de temps à observer minutieusement la nature. Ses constructions sont donc d'hallucinants mélanges de gothique, d'architecture arabisante, mais aussi de formes inspirées de fleurs, de champignons, d'épis de maïs, d'écailles de poisson, le tout traversé de symboles complexes tirés des récits bibliques. Que de riches mécènes aient confié à cet anticonformiste tant de projets indique peut-être que le passé ne fut peut-être pas aussi uniformément conservateur que nos préjugés modernes conduisent à penser.

Gaudi consacra quarante-trois années de sa vie à La Sagrada Familia, dont les dix dernières en exclusivité, logeant dans une minuscule pièce, très spartiate, aménagée sur les lieux mêmes du chantier. On l'a reproduite telle qu'elle était, avec les meubles qui étaient les siens et les plans qu'il laissa.

Gaudi mourut accidentellement en 1926, écrasé par un tramway. Oui, Monsieur. Écrasé par un tramway. Être un génie ne dispense pas de regarder des deux côtés de la rue avant de traverser. Je ne sais pas, mais entre, d'un côté, la grandeur de l'homme, son acharnement héroïque à mener à bien l'œuvre de sa vie, et, de l'autre côté, la manière dont il est mort, une mort si banale, si tristement dérisoire, si *fait divers*, il y a une sorte de disproportion, de déconnexion tellement étrange, qu'elle ne mérite qu'un adjectif : absurde.

Mais, bon, disons-nous que, comme ni vous ni moi, cher lecteur, ne sommes des génies, qui sait, peut-être que ça nous rend plus attentifs aux petites choses de la vie de tous les jours. Comme des trains qui vous foncent dessus.

14 janvier 2010

La pire télé au monde

Je vous disais la semaine dernière que j'étais tombé sur la chose la plus quétaine jamais vue de toute ma vie. Je vous en parle parce que je me suis rendu compte que je finis par vous ennuyer si je suis toujours trop sérieux.

Je pensais que la pire télévision du monde développé, en termes de bêtise et de vulgarité, était la télé italienne de l'ère Berlusconi : quiz, jeux d'adresse où les participants se ridiculisent, pseudo-débats cacophoniques et filles les seins à l'air. J'ai trouvé pire : la télé espagnole et, en particulier, Telecinco. En comparaison, toutes nos chaînes généralistes ont l'air de PBS.

Telecinco est littéralement portée sur les épaules – ou devrais-je dire sur la poitrine – d'un authentique phénomène médiatique nommé Belén Esteban. On est gêné de regarder cela, mais on reste rivé devant l'écran, littéralement hypnotisé, se demandant jusqu'où cette femme osera descendre dans la vulgarité.

Belén Esteban est une de ses bombes blondes qui font faire des folies aux golfeurs. À l'aube de la quarantaine, on ne compte plus ses chirurgies esthétiques. À côté d'elle, Michèle Richard a la dignité de Simone de Beauvoir et la classe de Catherine Deneuve.

Il y a dix ans, elle a eu un enfant avec un toréro. Puis, rupture tumultueuse, conflit autour de la garde de la petite, guerre de mots ininterrompue avec la belle-famille, le tout répercuté par des paparazzis qui n'ont rien à envier à ceux d'Italie ou de Grande-Bretagne. Une star venait de naître. Depuis, elle joue son propre personnage et déploie son unique mais considérable talent : faire parler d'elle.

Au début, j'ai cru que le silicone était monté au cerveau de Mme Esteban, ce qui supposait qu'elle avait un cerveau. Je m'étais trompé. Elle joue les idiotes, mais ne l'est pas du tout. Omniprésente sur la 5, son format d'émission favori est le panel où des potineurs viennent « analyser » les dernières rumeurs, souvent scabreuses, concernant des personnalités. Fréquemment, ils commentent des bribes de conversations privées captées à distance. Des pratiques qui, chez nous, vaudraient à leurs auteurs des poursuites légales.

Elle est souvent engagée dans des débats télévisés avec de pseudo-contradicteurs. C'est évidemment aussi truqué qu'un combat de lutte. Chacune de ses répliques commence par « nous, les gens du peuple ». Le public en studio boit ses paroles comme du petit lait et l'ovationne à tout bout de champ.

Elle se fait la porte-parole de tous ces gens qui ont le sentiment, souvent parfaitement justifié, que les élites intellectuelles les regardent de haut. Elle a donc un immense réservoir de supporters qui s'imaginent qu'elle se bat pour eux. On l'a même surnommée la Princesse du Peuple. L'autre jour, voulant nous montrer qu'elle connaissait Victor Hugo, elle nous a dit qu'on lui devait l'immortel Bossu de Rotterdam (Notre-Dame).

Au début, je ne comprenais pas comment une société avec une culture si riche peut tolérer une telle médiocrité télévisuelle. Ceci explique justement cela. Si vous voulez de la vraie culture, la panoplie de musées, de théâtres et d'expositions est telle que le danger est plutôt d'en faire une indigestion.

20 janvier 2010

La vérité

Le *Journal de Montréal* présentait récemment les mesures que nos concitoyens sont prêts à envisager pour améliorer nos finances publiques et celles auxquelles ils se refusent absolument.

Certains en ont déduit que les Québécois étaient enfin prêts pour le grand ménage. Sauf votre respect, je crois que nous n'avons pas dû voir les mêmes chiffres.

Par exemple, vous êtes une majorité à vouloir fermer les délégations du Québec à l'étranger. Pourtant, elles nous coûtent annuellement moins que ce que le système de santé engloutit en une semaine. En contrepartie, leur action fait entrer au Québec des dizaines de millions en investissements en provenance de l'étranger. Une très mauvaise idée.

Vous voulez qu'on cesse de subventionner les événements culturels. Richard Martineau expliquait l'autre jour que ces événements n'auraient pas lieu sans cette aide publique. Or, ils attirent ici des touristes qui dépensent, créent de l'emploi et font tourner notre économie. Pensez-vous que le peu de touristes étrangers que nous recevons viennent ici pour nos plages de sable fin?

Vous voulez qu'on ne subventionne plus les écoles privées. Concrètement, cela signifierait que la plupart feraient faillite. Celles qui resteraient seraient alors si chères que vous ne pourriez plus y envoyer votre propre enfant, qui réussit bien à l'école et à qui vous voulez donner toutes les chances dans la vie. Mais le cancre dont le père est richissime, lui, le pourrait. C'est vraiment ce que vous voulez?

Si on veut sérieusement sortir le Québec du rouge et ne pas écraser nos enfants avec nos vieilles factures impayées, il faudra aller là où se trouve vraiment l'argent: dans le système de santé, dans les garderies à 7 $, dans l'électricité, dans la taxe de vente, dans toutes ces vaches sacrées auxquelles vous ne voulez pas qu'on touche. Désolé, mais entre les petits millions contenus dans les suggestions de plusieurs lecteurs et les gros milliards qui nous font défaut, il y a quelques zéros de différence.

Ces résultats montrent que quatre mythes ont la vie particulièrement dure. Le premier mythe est que le gouvernement gaspille de façon scandaleuse. Certes, il y a toujours de la place pour un ménage. Mais le meilleur ménage du monde ne dispensera pas le gouvernement de devoir bientôt questionner VOS services, pas seulement ceux de votre voisin.

Le second mythe est que l'abolition des mystérieuses « structures gouvernementales » aurait des effets magiques. Vite, dites-moi lesquelles et combien vous sauvez. Au gouvernement, l'argent est dans les salaires, pas dans les structures. Vous voulez congédier les employés?

Le troisième mythe est qu'on pourrait tout régler sans toucher à la santé et à l'éducation. Ajoutez-y les intérêts de la dette et vous avez là les trois quarts du budget. Le quatrième mythe est qu'on se sortirait de l'impasse en pressant davantage le citron des riches. Faux encore: il y a trop peu de riches au Québec. Malheureusement.

Je sais, vous ne me croyez pas. Vous dites vouloir la vérité, toute la vérité, rien que la vérité. En êtes-vous bien sûr? Je vous le dis en tout respect.

25 janvier 2010

Musée, manif et madames

Pendant les vacances de Noël, nous tenions absolument à visiter Bilbao, la principale ville du Pays basque. Nous n'en connaissions rien, hormis le musée Guggenheim et le célèbre club de foot local, l'Athletic.

Avant d'aller quelque part, je me fais toujours un devoir de lire sur l'endroit que je vais visiter afin d'avoir quelques repères en arrivant, d'établir des priorités si le temps m'est compté et de pouvoir saisir la signification de ce que je regarde. J'avais lu quelque part que Bilbao fut longtemps considérée comme une ville industrielle sans charme particulier, jusqu'à ce que survienne assez récemment une vigoureuse reprise en main.

Je ne sais pas qui sont les responsables de ce redressement, mais c'est indiscutablement réussi. Comme Paris, Bilbao est une de ces villes coupées en deux par une rivière qui la traverse en plein milieu, ce qui offre de très belles possibilités piétonnières. Ils les ont joliment exploitées. On y trouve aussi un métro flambant neuf. Le mariage entre l'architecture traditionnelle et la moderne est également fort réussi.

Deux surprises. La première est que nous y avons entendu fort peu de basque parlé dans les rues. Est-ce une impression superficielle que démentirait un séjour plus prolongé? Je ne sais pas. La seconde surprise est que les prix dans les restaurants m'ont semblé exorbitants, nettement plus élevés qu'à Madrid ou Barcelone. Comme de raison, ils étaient tous vides aux heures qui sont normalement celles de grande affluence, alors que les bars, où l'on peut aussi se sustenter à coups de *tapas,* étaient si achalandés que les clients se déversaient sur les trottoirs environnants, debout, le verre à la main. Peut-être ces prix s'expliquent-ils par le fait que cette ville compte plusieurs chefs de grande renommée qui poussent les prix vers le haut. Là encore, je ne sais pas.

Un soir, les rues du centre-ville y étaient si bondées de promeneurs qu'il fallait jouer du coude pour faire le moindre progrès. Nous avons soudainement compris que l'artère principale était bloquée pour cause de manifestation, ce qui expliquait le déversement humain dans les rues environnantes. Après m'être assuré que la « manif » était pacifique, nous sommes allés voir de plus près. Ils étaient là, mes Basques parlant le basque.

Une mer humaine. Une vraie de vraie. La première manifestation à laquelle mes enfants assistaient. J'ai dû leur expliquer que les démocraties permettent aux gens d'exprimer leur mécontentement autrement que par le vote, les lignes ouvertes ou les courriers des lecteurs. Comme la langue basque n'a pas grand-chose à voir avec l'espagnol, je n'ai pas trop compris le but de la manifestation. Elle était évidemment en rapport avec les turbulences provoquées par l'ETA, l'organisation responsable de nombreux attentats. Je crois que les manifestants réclamaient que les prisonniers détenus pour terrorisme soient considérés comme des prisonniers politiques et non comme des prisonniers de droit commun, mais je peux me tromper.

J'ai entrepris récemment d'essayer de comprendre toute la problématique basque. C'est d'une complexité inouïe. L'organisation ETA dit vouloir l'indépendance du Pays basque. Comme ce territoire chevauche la France et l'Espagne, l'ETA se sert souvent de la partie française comme lieu de refuge et de préparation de ses attentats, mais elle frappe le plus souvent du côté espagnol.

Le courant dominant du nationalisme basque est évidemment démocratique et modéré. Son vaisseau amiral est le Parti nationaliste basque (PNV), fondé en 1895, à Bilbao, par Sabino Arana. Le PNV a gouverné la région basque espagnole pendant la majeure partie du temps depuis la fin de la dictature franquiste en 1975. Au fil des ans, le PNV a oscillé entre l'indépendantisme, la souveraineté-association et l'autonomisme. Un petit air de famille, non ?

Créée officiellement en 1959, l'ETA est issue d'une scission à l'intérieur du PNV : une jeune génération de militants, exaspérés par la prudence de leurs aînés et influencés par le marxisme de l'époque, se radicalisèrent progressivement pendant les années soixante et en vinrent à choisir la voie armée. Leurs premiers assassinats politiques furent commis en 1968.

L'ETA a aussi des liens obscurs et complexes avec l'organisation politique Batasuna, décrétée illégale. Plusieurs disent que Batasuna est le visage public et le bras politique de l'ETA. Ils entretiendraient le même genre de rapports que l'IRA avec le Sinn Fein, en Irlande du Nord, avant la mise en place du processus de paix.

La police espagnole est remarquablement efficace : à l'heure actuelle, la majorité des têtes dirigeantes de l'ETA est sous les verrous, et les nouveaux dirigeants sont coffrés au fur et à mesure qu'ils accèdent au sommet de l'organisation. Mais les autorités ne parviennent pas à la mater pour de bon.

Un peu comme le PQ de jadis face au FLQ, le PNV voit bien le tort immense que ces radicaux font au nationalisme modéré. On trouve cependant une frange minoritaire du PNV qui, sans cautionner la violence, la relativise et établit une sorte d'équivalence morale entre les actes violents de l'ETA et la « répression » menée par les forces de l'ordre. L'opinion publique basque, elle, condamne presque unanimement le terrorisme, mais elle n'a guère de sympathie non plus pour l'État central espagnol.

L'ETA semble maintenant vouloir déployer une nouvelle stratégie. Comme elle réalise que la voie armée est un cul-de-sac, il s'agit pour elle de contaminer idéologiquement le nationalisme basque modéré. À terme, elle vise à ce que Batasuna, son bras politique présumé, redevienne une organisation légale qui pourra travailler à légitimer un nationalisme plus dur que celui du PNV.

Pour ce faire, on cherche à constituer un réseau de personnalités nationalistes de la société civile qui plaideront la légalisation et la légitimité d'un nationalisme plus ferme. En font partie des artistes, des écrivains, des intellectuels, des gens d'affaires et des syndicalistes. Il s'agit simultanément de briser le cordon sanitaire qui isole cette nébuleuse ETA-Batasuna et de délégitimer l'État central espagnol. Fin du petit cours de sociologie.

Nous avons continué à déambuler dans le centre-ville de Bilbao à la recherche d'un endroit abordable pour souper. Nous avons abouti finalement dans une sorte de cafétéria bondée de gens. Un endroit très correct. Et c'est là que m'attendait le clou de ma journée.

Dans cet endroit où les serveurs peinaient à se frayer un chemin, nous nous sommes installés autour d'une table à quatre places, près de la télévision qui diffusait le match de foot du jour. Quand moi et mon garçon nous sommes bien conduits, ma femme et ma fille acceptent que lui et moi prenions les deux places qui font face à l'écran. Il est tout à fait possible de tenir une conversation respectueuse et de suivre l'action sur l'écran en même temps et, à tout prendre, c'est moins grossier que parler au cellulaire avec quelqu'un d'autre.

Soudainement, se sont installées à la table qui était à notre droite huit dames d'âge mûr, très mûr : pas une ne devait avoir moins de 80 ans. Toutes chics et pomponnées, elles « sortaient » pour l'apéro et, plus tard, le souper. Visiblement, des amies de très très longue date. Toutes très riches aussi, à en juger par leurs manteaux de fourrure. J'ai eu la maladresse de dire à ma femme que leurs maris devaient être des dentistes à la retraite. Le regard assassin, elle m'a fait remarquer que ce propos machiste présupposait qu'elles n'avaient pas gagné elles-mêmes leur argent. J'ai répondu que leur âge rendait très improbable qu'elles aient été des femmes de carrière.

Pour cause de surdité en progression et de bruit ambiant, elles devaient se parler très fort. L'une d'entre elles portait, autour du cou, suspendue au bout d'une chaîne en or qui m'aurait sans doute coûté quelques semaines de travail, une loupe. Comme il était hors de question qu'aucune d'entre elles ne porte des lunettes, elles se passaient toutes la loupe pour étudier le menu. En Espagne, la coutume est d'ailleurs de commander d'abord quelques plats que les convives se partagent. Mais une fois les commandes effectuées auprès d'un serveur qui les a traitées avec les égards dus aux tsarines, elles sortirent toutes... non, pas le fond de teint... mais leurs cellulaires, histoire de prendre les derniers messages avant de les éteindre. J'ai été émerveillé, impressionné, charmé. Un peintre aurait eu là un thème en or.

Pour des raisons que je n'ai pas creusées, les vieux me semblent beaucoup plus visibles et actifs dans la vie de tous les jours en Espagne que chez nous. Plutôt que d'aseptiser le langage en parlant de troisième âge, d'âge d'or, de longévité ou je ne sais quoi, pendant qu'on cherche activement une place en CHSLD alors que la condition de la personne ne le justifierait pas toujours, comme c'est souvent le cas chez nous, ici, les vieillards sont partout : dans les restaurants, les cafés, les parcs, les salles de concert et les cinémas.

26 janvier 2010

Plus ça change

J'ai fait un saut au Québec la semaine dernière à l'occasion du lancement de mon livre. C'est comme si je n'étais jamais parti : le même pelletage en avant de nos problèmes, les mêmes petits calculs politiques à courte vue, les mêmes faussetés véhiculées par les mêmes personnes.

Le Québec au grand complet continue à vivre au-dessus de ses moyens, exactement comme un individu qui fait la grosse vie tant qu'il y a de la marge sur ses cartes de crédit. La différence est que la facture sera refilée à nos enfants.

Quant à la passivité du gouvernement, elle n'a que deux explications : ou bien il n'y a vraiment que le pouvoir qui l'intéresse, ou alors, comme le soulignait le chroniqueur Michel David du *Devoir*, Jean Charest ne veut pas, à la veille de négociations difficiles avec les syndicats, donner à ces derniers l'occasion de se poser en « défenseurs du monde ordinaire » face à des hausses de tarifs.

Nos concitoyens, eux, conscients que ça va mal, voudraient pouvoir refiler TOUTE la facture aux plus privilégiés. C'est un réflexe normal, mais illusoire.

La société québécoise fait penser à une famille qui s'est procuré à crédit deux autos, un chalet, des vacances dans le Sud et une piscine creusée... et qui voudrait croire qu'elle s'en sortira en suspendant un abonnement à une revue ou en trouvant quelqu'un qui aura la grandeur d'âme de payer pour elle.

Il faut dire que des forces puissantes travaillent à nous endormir. Je participais l'autre jour à une émission de télévision. Un ex-dirigeant syndical est venu dire que la dette du Québec, quand on la compare à la moyenne des pays de l'OCDE, n'est pas si pire. Je préfère penser que c'était une erreur de bonne foi.

Les chiffres de l'OCDE incluent les dettes de TOUTES les administrations publiques d'un pays. Si vous refaites les calculs en tenant compte des dettes d'Hydro-Québec, du réseau de la santé, des municipalités et notre part de la dette fédérale, la dette québécoise est la cinquième plus lourde en Occident.

Les autres pays très endettés ont cependant une plus grande capacité de remboursement que nous parce qu'ils ont un plus gros moteur économique. De plus, nous sommes la société qui verra chuter le plus rapidement le nombre de travailleurs qui mettent des bûches dans le poêle pour chauffer tous les autres.

Par où commencer ? Imaginez que vous avez un rendez-vous de routine chez le médecin. D'entrée de jeu, il vous annonce que le traitement de chimio commence demain matin. Maudit malade, direz-vous. Vous grimperez aux rideaux. Vous vous sentez bien.

Par contre, s'il vous montre les radiographies où l'on voit la masse cancéreuse en progression et qu'il vous explique les conséquences si on ne fait rien, vous finirez par accepter. Autrement dit, il faut d'abord comprendre le mal, puis discuter froidement des options de traitement, pour finir par accepter la chimio proposée.

Il faut donc commencer par une massive opération de pédagogie pour expliquer à nos concitoyens la vraie nature du mal et leur faire comprendre que ce mal ne se guérit pas avec de l'aspirine.

27 janvier 2010

Des nouvelles du front

Je suis de retour en Espagne. Partout en Europe, la température continue à monter dans le débat sur l'identité nationale.

Ça part évidemment dans toutes les directions. En Espagne vient de débuter le premier procès de gens accusés d'avoir organisé un tribunal islamique clandestin ayant décrété la condamnation à mort d'une jeune femme. En Italie, un groupe de députés propose d'ajouter la croix chrétienne dans le drapeau italien.

En France, il est acquis qu'un projet de loi encadrant le port de la burqa sera présenté. La burqa, c'est le vêtement qui recouvre intégralement le corps et la tête des femmes, à la différence du niqab qui laisse une fente pour les yeux.

Un récent sondage révélait que 65 % des Français souhaitent l'interdiction de la burqa. Ils voudraient cependant qu'elle soit interdite partout, ce qui n'est pas ce que prévoit le texte qui sera débattu. On envisage, à ce stade-ci, de l'interdire dans les institutions publiques, les transports en commun et à la sortie des écoles.

Le président Sarkozy ne s'est pas réfugié derrière les « experts » : la burqa, a-t-il dit, « n'est pas la bienvenue » en France. Toutes les religions doivent se pratiquer avec une « humble discrétion ». L'héritage chrétien, a-t-il ajouté, a laissé des traces si profondes en France que le confronter directement exposerait les autres religions à un rejet massif.

Revenant sur les réactions outrées au référendum par lequel les Suisses votèrent pour l'interdiction de nouveaux minarets, il demanda tout simplement : « Qu'auraient choisi les Français si on leur avait posé la même question ? »

Combien de femmes portent cet habit ? On estime leur nombre à environ 2000 dans toute la France. Près de un Français sur deux admet ne croiser une femme ainsi vêtue que « rarement », voire « jamais ». Mais ils en font une question de principe : celui de ne pas accepter un symbole qui n'est pas religieux, mais politique, et qui incarne l'asservissement de la femme et le rejet de l'Occident.

Quand un principe est en cause, qu'il y en ait 20, 200 ou 2000 ne change rien.

Cette semaine, sort aussi en librairie le témoignage-choc de l'artiste Bérengère Lefranc. Française de souche, elle a porté la burqa pendant un mois. Pour voir. Son expérience sociologique a immédiatement tourné au cauchemar, mais elle a tenu le coup.

Un « enfer », un « calvaire », dit-elle. On la montrait du doigt, on la regardait comme une bête, on lui a même craché dessus. Elle se sentait comme « un homard plongé dans l'eau bouillante ». Elle ne pouvait donner la main à son conjoint. Quand elle a soulevé son voile pour aspirer furtivement sur sa cigarette, les intégristes lui lançaient des regards haineux. En un mois, elle a perdu six kilos. Faites-en ce que vous voulez, je fais juste vous raconter.

Sur toutes ces questions, les Européens ont face à nous un gros avantage et un gros handicap. Le handicap est qu'ils ont laissé faire pendant très longtemps : ils se retrouvent donc aujourd'hui avec une immense patate chaude entre les mains. Leur avantage est qu'ils refusent désormais nettement ce chantage moral qui veut faire croire qu'il serait mal d'asseoir les règles collectives sur les valeurs de la majorité.

3 février 2010

Les ennemis de la culture

La controverse autour de la tauromachie, toujours présente mais d'intensité plutôt basse la plupart du temps, vient de monter de quelques degrés.

Il se trouve en effet que le parlement catalan vient de recevoir une pétition signée par 180 000 personnes demandant l'abolition des corridas sur son territoire. Les parlementaires catalans tiendront des audiences publiques pour entendre les deux camps. On ne sait pas quelles suites seront données à l'affaire, ou même s'il y en aura.

L'argument unique mais puissant des partisans de l'interdiction est évidemment celui de la souffrance infligée à l'animal, indigne, disent-ils, d'une société civilisée. Les partisans du maintien des corridas avancent une plus large palette d'arguments.

Ce n'est évidemment pas un hasard si le débat ressurgit en Catalogne et pas ailleurs en Espagne. Peu de manifestations culturelles – oui, culturelles – incarnent davantage l'identité espagnole que la tauromachie. Comme les nationalistes catalans veulent affirmer le plus possible leur identité culturelle distincte, ils ont trouvé dans la lutte contre la tauromachie une cause avantageuse. À travers la tauromachie, c'est l'Espagne qui est visée. Ils s'en prennent à elle parce qu'elle symbolise l'« hispanité » plus que n'importe quoi d'autre. Le taureau de combat est devenu cheval de bataille.

Je suis évidemment déchiré. Comme souverainiste québécois, je suis sensible et sympathique à la volonté de tant de Catalans de s'affirmer politiquement et culturellement. Je n'accepte pas cependant que certains d'entre eux le fassent aux dépens d'un art – oui, un art – qui est une des grandes contributions de l'Espagne au patrimoine culturel de l'humanité. Leur hypocrisie dans *cette* bataille est patente. Le camp des abolitionnistes est donc une curieuse coalition de nationalistes catalans qui dissimulent mal leur véritable motivation, de petits caporaux moralistes et autoritaires toujours prompts à vouloir interdire aux autres ce qu'eux désapprouvent, et de militants des « droits » des animaux, qui sont aussi contre l'usage des souris dans les laboratoires de recherche médicale, ou qui ne font aucune distinction sérieuse entre la vie d'un taureau de combat – dont ils ignorent tout et qu'ils ne sont pas intéressés à connaître – et un chenil dans lequel des chiens sont maltraités.

Les défenseurs de la tauromachie admettent aujourd'hui avoir trop longtemps laissé le monopole de la parole publique à leurs adversaires. Ils se mobilisent pour venir à la rescousse de ce qui est après tout le deuxième spectacle de plein air en importance en Espagne après (évidemment) *el fútbol*. Des personnalités de tous les secteurs élèvent leurs voix. On projette de demander à l'Unesco de reconnaître la *Fiesta* comme faisant partie du patrimoine historique et culturel de l'humanité, au même titre que le flamenco ou le tango. Cent trente-trois parlementaires de France – où la tauromachie est aussi pratiquée, dans le sud évidemment – viennent d'envoyer une lettre conjointe à leurs homologues catalans pour leur demander de reprendre leurs esprits et de ne pas commettre ce qui serait un crime contre la culture. Incidemment, en 2009, c'est un jeune Français, le sensationnel Sébastien Castella, qui a été choisi meilleur toréro de l'année, même s'il en existe de bien plus prestigieux que lui.

Récemment, dans le journal *ABC*, l'écrivain Andrés Amorós a superbement synthétisé les raisons de se porter à la défense de la tauromachie. D'abord, bien sûr, au nom de la liberté individuelle, si malmenée de nos jours. Personne n'est obligé d'aimer ou d'assister à une corrida, dit-il, mais faut-il l'interdire aux autres ? Ce n'est pas comme une fumée secondaire qui porte atteinte à ceux qui n'ont rien demandé. Ira-t-on jusqu'à interdire la chasse, la pêche et, en toute logique, la consommation de viande ?

Amoròs souligne ensuite sa dimension artistique indiscutable, que seuls les ignorants nient, qui mérite à ce titre respect et protection, et qu'on ne trouve pas dans les combats de coqs ou les combats de chiens. Un autre argument fondamental est celui de la protection d'une race animale unique, le *toro bravo,* produit d'un processus de sélection extraordinairement complexe. Sans corrida, cet animal, qui est une création humaine destinée à cette seule activité, n'aurait aucune raison objective de continuer à exister et disparaîtrait. Les corridas sont également l'unique justification de la protection des 400 000 hectares de terres réservées à l'élevage en liberté de ces animaux, qui sont impropres à tout usage agricole rentable, et qui seraient autrement livrées au développement immobilier. Elles fournissent aussi, directement et indirectement, de l'emploi à des centaines de milliers de personnes et génèrent des retombées économiques considérables.

La *Fiesta,* poursuit Amoròs, rassemble autour d'elle des gens de toutes les idéologies et de toutes les classes sociales, et fait du toréro, du moins en Espagne, un authentique héros populaire à une époque qui n'en compte plus beaucoup. En plus d'être intrinsèquement liée à l'histoire et à la culture de ce pays (et de plusieurs autres d'Amérique latine), elle a inspiré de nombreux artistes espagnols, comme Picasso et Goya, mais aussi étrangers, comme Hemingway et Orson Welles. Elle a profondément imprégné le vocabulaire espagnol et même français (« prendre le taureau par les cornes »), de même qu'elle a puissamment contribué à forger l'attitude typiquement espagnole face à la vie : accepter sereinement que l'homme est fondamentalement seul face à la mort, qui peut frapper à tout moment, et qu'il faut savoir affronter cette dernière avec stoïcisme.

On comprend du coup que la tauromachie aille à contre-courant de cette partie de notre sensibilité moderne qui voudrait bannir le risque et qui ne sait plus affronter notre propre finalité, et qu'elle se heurte ainsi à un puissant cocktail d'incompréhension, d'ignorance et de préjugés. Que ce dernier se drape dans les bons sentiments ne doit pas empêcher de le voir pour ce qu'il est: un véritable attentat contre la culture et l'art d'un peuple.

7 février 2010

Nous ne sommes pas seuls

Avouons-le, il est parfois réconfortant de voir que d'autres ont les mêmes problèmes que nous. En autant que ça ne serve pas d'excuse pour ne rien faire.

En Espagne, la crise frappe fort, très fort. C'est le seul pays du G20 sans croissance économique à l'heure actuelle. Le déficit est énorme, la dette publique s'envole et le chômage atteint des sommets historiques.

Le gouvernement Zapatero, qui est de gauche, vient de présenter un plan d'austérité. Il coupera ses dépenses partout, sauf dans l'aide sociale, dans la recherche universitaire et dans la lutte au terrorisme. Chez les fonctionnaires, seulement un départ à la retraite sur 10 sera comblé.

Le problème structurel le plus grave est cependant que l'Espagne vieillit très vite. De moins en moins de travailleurs devront financer les retraites d'aînés de plus en plus nombreux. Les Espagnols de moins de cinquante ans avec une tête sur les épaules savent qu'ils ne pourront bénéficier des mêmes pensions que les aînés d'aujourd'hui, même si ces derniers les trouvent insuffisantes. Le Québec fait face au même problème.

La pièce de résistance que le gouvernement Zapatero vient de dévoiler est donc de relever progressivement l'âge légal de la retraite pour le porter à 67 ans. Tous les experts, sans exception, prônent cela, tout en laissant entendre que cette mesure seule ne suffira pas.

Déjà, plusieurs pays européens augmentent aussi le nombre d'années de travail sur la base duquel se calcule le montant des pensions. Évidemment, le cas d'un professeur d'université, qui ne soulève rien de plus lourd qu'un dictionnaire, est différent de celui d'un ouvrier de la construction.

Vous n'avez pas idée des réactions des syndicats. Ils promettent une guerre thermonucléaire à ce gouvernement qu'ils considèrent comme le leur, et qui voudrait donc les « trahir ». Leur opposition, disent-ils, sera « frontale ». Remarquez, je peux comprendre que personne n'aime perdre des acquis devenus des droits. Les petits partis d'extrême gauche, qui ne prendront jamais le pouvoir et peuvent donc dire n'importe quoi, sont déjà dans les rideaux.

Ils disent tous admettre le problème, mais ils souhaitent des propositions « alternatives ». Ils ne mettent cependant sur la table que des hausses de cotisations et d'impôts pour les employeurs et les hauts salariés. Air connu. Les économistes leur répondent : hausse garantie du chômage, des prix, de la fraude fiscale et chute des investissements.

Évidemment, trois jours après le dévoilement de la proposition, des ténors gouvernementaux commençaient déjà à montrer des signes de nervosité et à diluer le message. Accouchera-t-on d'une souris ?

L'opposition parlementaire de droite a l'immense avantage de n'avoir aucun « ami » du côté syndical. Elle ne leur doit donc rien. Très démagogiquement, elle accuse le gouvernement de commencer à réparer la maison par le toit. Elle prône de décourager d'abord les retraites prématurées avec pensions juteuses, et de rendre fiscalement attrayant le maintien en emploi après 65 ans. Mais dans son for intérieur, elle sait parfaitement que ça ne suffira pas.

Morale de cette histoire : partout en Europe, des pays avec les mêmes problèmes que nous cherchent des solutions. Ce n'est facile nulle part. Les solutions sans douleur n'existent pas. Mais ailleurs, on essaie au moins de bouger.

8 février 2010

L'argent du beurre

Je vous le dis, la nature humaine est la même sous toutes les latitudes.

Oui, il faut des prisons, mais pas à côté de chez nous. Les gars pourraient s'évader et me prendre en otage. Oui, je mange du porc, mais pas de porcheries qui puent dans mon voisinage. Oui à des antennes de télécommunication, mais le plus loin possible de ma prostate sensible aux radiations. Oui à des pylônes hydroélectriques, mais pas dans MON champ visuel. Oui à de nouveaux barrages, mais pas sur CETTE rivière qui est la plus unique de toutes.

Ne vous imaginez pas que c'est très différent ailleurs. En Espagne, les gouvernements successifs poursuivent la fermeture des centrales nucléaires les unes après les autres. Comme l'Espagne n'a pas le fabuleux potentiel hydroélectrique du Québec, elle est donc de plus en plus dépendante de l'énergie nucléaire que lui vend la France.

Tant que la patrie de Picasso pourra compter sur les Gaulois d'à côté pour faire fonctionner les lave-vaisselle et les écrans plasma, elle pourra continuer à se gargariser de beaux discours écologiques La nature humaine, je vous disais. Le beurre et l'argent du beurre. Dans les pays riches, nous avons les moyens de flatter notre amour-propre.

Il faut pourtant entreposer quelque part les déchets nucléaires. Que font donc les dirigeants politiques ? En Espagne, invoquant l'autonomie locale, ce qui paraît toujours bien, le gouvernement central invite les petites villes à poser leur candidature pour accueillir une usine de stockage des déchets. Un peu comme on le fait pour obtenir les Jeux olympiques.

Vous devriez voir les scènes dans les conseils municipaux dont les autorités décident de se lancer dans l'aventure. De véritables émeutes. On se casse la gueule entre beaux-frères. C'est assez divertissant.

On assiste aussi à des retournements de veste ahurissants. José Montilla est aujourd'hui le président du gouvernement catalan, ce qui fait de lui un des hommes les plus puissants d'Espagne. Hors de question, dit-il, qu'une seule ville catalane ose poser sa candidature. Quand il était ministre de l'Industrie au sein du gouvernement central espagnol, il disait le contraire.

Ce n'est pas mieux à droite. Dolores de Cospedal, la porte-parole nationale du Parti populaire, qui est en avance dans les sondages, reproche au gouvernement Zapatero de ne pas mettre ses culottes. L'énergie nucléaire, dit-elle, est une affaire trop stratégique pour être renvoyée au niveau local. C'est Madrid qui devrait trancher. Cependant, quand elle était dirigeante régionale dans Castilla-La Mancha, elle s'empressait de pelleter l'affaire dans les petites cours des maires de village.

Comme au Québec, les décisions visionnaires et stratégiques ne se prennent pas. Elles sont toujours repoussées à plus tard. On ne joue que des cartes de court terme. On tourne en rond. Seules comptent les images aux nouvelles du soir ou les manchettes du lendemain matin. Où diable est passé le courage ?

Les Espagnols risquent de la trouver moins drôle le jour où la France décidera d'augmenter le prix de vente de son énergie ou de fermer l'interrupteur. Heureusement, les corridas se déroulent en plein jour. On verra au moins venir le taureau.

10 février 2010

Une affaire troublante

Je me suis toujours moqué de ceux qui voient partout de sombres complots. Je laisserai donc parler les faits que rapporte l'excellente revue espagnole *XLSemanal*. Vous jugerez.

On se souvient tous de scènes disgracieuses, il y a quelques mois, lors de la campagne de vaccination contre le virus H1N1 au Québec. La peur rendait certaines personnes franchement idiotes. Ici, en Espagne, zéro panique, mais on s'est sérieusement demandé s'il fallait retarder le début de l'année scolaire ou s'interdire d'aller dans les stades de soccer.

Nous en sommes à 13000 morts dans le monde entier. C'est l'une des grippes les plus bénignes depuis que les statistiques existent, dit l'épidémiologue Marc Lipsitch de l'Université Harvard. La grippe « ordinaire » tue habituellement entre 250000 et un demi-million de personnes chaque année.

Les pays qui ont acheté des quantités massives de vaccins ne savent plus quoi en faire. L'Espagne a acheté 37 millions de doses, mais on n'a vacciné que 3 millions de personnes. Elle voudrait conserver 13 millions de doses, revendre une partie de son stock à la Pologne et à la Bulgarie, et donner le reste aux pays pauvres. Elle doit 420 millions de dollars aux compagnies pharmaceutiques.

La France a cru l'OMS, qui lui disait qu'il faudrait sans doute vacciner chaque personne deux fois. Elle a donc acheté 94 millions de doses en juillet 2009. Coût de la facture : un milliard et demi de dollars. Elle veut aujourd'hui refiler une partie de son stock à l'Égypte, au Mexique et à l'Ukraine.

La firme Morgan Stanley estime que les trois principaux fabricants du vaccin – GlaxoSmithKline, Sanofi-Pasteur et Novartis – empocheront respectivement 4 milliards de dollars, 1,2 milliard et 650 millions. Les ventes mondiales de Tamiflu ont dépassé 1,6 milliard de dollars en un an, bien que le *British Medical Journal*, dont la crédibilité est immense, mettait encore en doute son efficacité le mois dernier.

Ce n'est pas la première fois que l'apocalypse annoncée ne survient pas. Les prévisions les plus pessimistes de l'OMS sur la grippe aviaire (vous vous en souvenez ?) avançaient qu'elle ferait jusqu'à 150 millions de morts, c'est-à-dire plus que toutes les pestes du Moyen Âge réunies. Bilan à l'heure actuelle : 282 morts dans le monde entier.

La maladie de la vache folle, elle, fait à peine une quinzaine de victimes par année. Dans le cas du virus H1N1, il n'y avait que 1000 personnes infectées au Mexique et l'on parlait déjà de la « pandémie du siècle ».

Comprenons-nous bien. Les virus existent, peuvent tuer, et il est du devoir des autorités sanitaires d'être prêtes. Pour autant que je puisse en juger, dans les deux cas que je connais un peu, celui du Québec et celui de l'Espagne, elles firent leur travail de façon globalement adéquate malgré des ratés.

Il s'agit plutôt de s'interroger sur cet écart immense et systématique entre les apocalypses planétaires annoncées par l'OMS et la réalité. Figurez-vous que des journalistes se sont mis à enquêter et que des politiciens commencent à s'en mêler. Un nom revient constamment.

Ce nom, c'est celui du docteur néerlandais Albert Osterhaus, vétérinaire et virologue de formation. Véritable star aux Pays-Bas et dans les milieux spécialisés dans ces questions, on le surnomme le « Docteur Grippe ». On lui doit l'identification d'une bonne vingtaine de microorganismes pathogènes.

En 2003, Osterhaus fut le premier à identifier le virus responsable du SRAS, qui fit 900 morts en un clin d'œil et repartit aussi subitement qu'il était arrivé. Il passa ensuite à la grippe aviaire, puis au virus H1N1. Il s'intéresserait maintenant à la varicelle.

Chaque fois, son discours est le même. Le virus pourrait muter et tuer massivement. Il faut donc des mesures draconiennes : vaccinons tout le monde, pas seulement les groupes à risque. Le problème est qu'aucune de ses prédictions apocalyptiques ne s'est réalisée.

On lui reproche surtout une stratégie qu'il semble déployer en deux temps : déguisé en sauveur de l'humanité, il crie d'abord au loup, et il s'enrichit ensuite à partir des liens qu'il entretient avec les compagnies qui fabriquent les vaccins que lui-même recommande.

La chaîne de télévision hollandaise VPRO révélait récemment que le Dr Osterhaus est en effet l'actionnaire majoritaire de ViroClinics, une entreprise de biotechnologie à laquelle le géant pharmaceutique GSK donna le contrat de développer le vaccin pour la grippe H1N1.

Il aurait, allègue-t-on, largement profité de l'achat de 34 millions de doses du vaccin par le ministère néerlandais de la Santé, dont le responsable politique était à l'époque Ab Klink, un de ses amis. Osterhaus répond que les profits furent versés à une fondation, que son rôle fut de présenter au ministre divers scénarios, et que c'est le gouvernement qui opta pour le scénario du pire.

La directrice générale de l'OMS, Margaret Chan, fit ensuite passer le niveau d'alerte au seuil maximal sur la base des recommandations d'un groupe de conseillers dont faisait partie Osterhaus. Mais ce dernier préside aussi le Groupe européen de travail scientifique sur la grippe (ESWI en anglais), qui est financé par les principales entreprises de fabrication des vaccins : GSK, Sanofi-Pasteur, Novartis, Baxter et Roche. Comme de raison, le ESWI recommandait de vacciner le monde entier.

Le Parlement des Pays-Bas a ouvert une enquête pour conflit d'intérêts et malversation de fonds. Une loi a aussi été adoptée pour forcer les scientifiques à dévoiler les intérêts financiers qu'ils ont dans des entreprises privées.

Cette semaine, la commission de la santé du Conseil de l'Europe entreprend une enquête pour déterminer si la décision de l'OMS de décréter une pandémie ne fut pas manipulée par des intérêts économiques. Critiquée de toutes parts, l'OMS a elle-même chargé un groupe d'experts indépendants de faire la lumière.

Je répète qu'il ne faut pas prendre à la légère les questions de santé publique. Je note seulement qu'année après année, on nous prédit des apocalypses qui ne se réalisent jamais. C'est comme si toute une industrie souhaitait vraiment que le ciel nous tombe sur la tête.

17 février 2010

Si nous sommes sérieux

J'ai souvent écrit que nos désaccords politiques ne devaient pas nous dispenser d'essayer de travailler ensemble à renforcer le Québec réel avec les leviers dont nous disposons déjà.

C'est dans cet esprit qu'un groupe de citoyens de divers horizons a proposé hier de venir de toute urgence au chevet des universités québécoises. Votre humble serviteur en fait partie.

Diagnostiqué depuis des lunes, le mal n'a cessé d'empirer parce que nous avons tous laissé faire. En comparaison du reste du Canada, nos universités traînent un sous-financement chronique de 500 millions de dollars par année.

Nous proposons d'y mettre progressivement fin en augmentant les contributions exigées de ceux qui profitent le plus directement de l'éducation universitaire, qui sont les étudiants. Il s'agit cependant de le faire d'une façon qui reste fidèle aux valeurs auxquelles notre peuple est traditionnellement attaché. Le gouvernement, lui, s'engagerait à ne pas réduire sa contribution financière.

Désormais, les universités fixeraient elles-mêmes des droits différents selon les disciplines et en fonction des revenus ultérieurs qu'elles procureront. Après impôts, un diplômé en médecine gagnera en moyenne 2 millions de dollars de plus pendant sa carrière qu'un diplômé en lettres. En revanche, les universités seraient tenues d'offrir davantage d'aide financière aux étudiants venant réellement des milieux défavorisés.

On objecte souvent que le diplômé universitaire qui aura plus tard de hauts revenus paiera des impôts en conséquence. Cet argument est cousu de fil blanc. Investir dans votre propre formation peut se comparer à tout autre investissement dont vous attendez un rendement.

Que penseriez-vous de quelqu'un qui, au lieu d'investir 100 000 $ dans sa formation universitaire, investirait ce même montant dans l'achat d'un immeuble à revenus, encaisserait ensuite des loyers pendant des années, puis demanderait à la société de lui « rembourser » les 100 000 $ initiaux, sous prétexte qu'il paie des impôts qui dépassent l'investissement de départ ?

Plaider la cause des universités n'est jamais facile. Ceux qui n'y ont jamais mis les pieds les voient comme une lointaine planète peuplée de privilégiés qui s'occupent de choses ésotériques. Leurs difficultés n'auront jamais l'impact de ces images montrant des civières alignées dans des corridors d'hôpital.

C'est pourtant dans les universités que se développe le savoir qui se traduit ensuite en innovations qui augmentent notre richesse et notre qualité de vie. Les négliger, c'est scier la branche sur laquelle nous sommes assis. C'est encore plus vrai dans le cas d'une petite nation comme la nôtre, qui devra forcément compenser avec ses têtes les paires de bras qu'elle n'a pas.

On peut parfaitement être souverainiste et avoir l'honnêteté de reconnaître que les universités du Canada anglais ont une politique de financement plus efficace et plus réaliste que la nôtre. Leurs jeunes les fréquentent aussi davantage, ce qui aurait dû disposer depuis longtemps de la sempiternelle question de l'accessibilité.

L'accueil fait à cette proposition sera une sorte de test collectif. Soyons francs : comment une société qui ne serait pas capable de régler une question comme celle-là trouverait-elle ensuite la force de régler des questions autrement plus lourdes, comme celles de la santé, de notre endettement ou de notre statut politique ?

24 février 2010

Le beau risque

Depuis sa défaite de 2003, le PQ a sans cesse repoussé la « modernisation » tant promise de sa social-démocratie.

Dans une dizaine de jours, les militants péquistes se réuniront pour parler de création de la richesse. C'est un début. Il faudra évidemment attendre le congrès de l'an prochain et les engagements électoraux pour se faire une idée plus claire.

Pour créer de la richesse, la recette de base est la même partout : baisse des impôts, hausse des tarifs et de la taxe de vente, fin de l'endettement, productivité accrue, performance éducative. C'est la proportion des ingrédients qui peut varier. Si ça vous amuse, on peut bien rebaptiser tout cela « gauche efficace ». La Suède, le Danemark, l'Irlande, la Bavière sont passés par là.

Au fil des années, le PQ a reçu avec hostilité ou tiédeur les rapports Ménard, Fortin, Gagné, Pronovost, Castonguay, Montmarquette et j'en oublie, qui lui disaient quoi faire. Ils se trompaient tous ? Un grand complot « lucide » ? Et où étaient les contre-propositions ? Au mieux, le PQ se disait ouvert à en débattre. Autant d'occasions perdues d'amorcer un virage nécessaire.

Remarquez, le PLQ n'a pas fait mieux, mais il m'est difficile de comprendre comment quelqu'un pourrait encore penser que le redressement du Québec viendra du PLQ. Il est vrai que les changements de chef et la question identitaire, où le PQ s'est bien ressaisi, ont pris énormément de place.

Je crois cependant que des raisons plus profondes expliquent mieux ces résistances. Certains militants péquistes ont grandi à l'ombre du modèle hérité de la Révolution tranquille. Changer serait pour eux une sorte de renoncement, et tant pis si la réalité travestit chaque jour un peu plus les idéaux de départ.

D'autres, sans trop se l'avouer, craignent de ne pas voir la souveraineté de leur vivant. Ils se durcissent donc sur les autres enjeux par compensation psychologique, par crainte de devoir conclure que l'engagement de leur vie a échoué sur toute la ligne. Il y en a aussi qui ont exactement la même idéologie que Québec solidaire, mais qui militent au PQ pour se coller au pouvoir.

Évidemment, le PQ n'est pas monolithique. Nombre de péquistes voient que notre monde a changé. Ils comprennent que ne pas bouger, ou bouger à peine, conduit à la perte de nos acquis sociaux aussi sûrement qu'en les démantelant. Ils réalisent que la prospérité n'est pas un but en soi, mais la condition pour pouvoir financer correctement la solidarité. Mais ceux-là, on ne les entend jamais.

Que le PQ soit plus proche des syndicats que le PLQ ne serait pas en soi un problème, s'il acceptait de leur parler dans le blanc des yeux. Mais, évidemment, ceci complique cela. Les faits sont pourtant terriblement têtus : dans les classements internationaux comparant les niveaux de vie, nous reculons, et notre déclin démographique risque d'accélérer cette glissade.

Rien ne serait plus triste que de voir le PQ attendre passivement que le peuple se lasse des libéraux. Il hériterait d'une situation désastreuse. Il devrait alors faire le ménage sans mandat populaire et de manière improvisée. Il doit bouger maintenant. C'est un risque, mais c'est un beau risque.

3 mars 2010

Intégrisme et intimidation

Un nouveau parti politique vient de naître en Espagne : il s'appellera Renacimiento y Unión (renaissance et union). Cette formation présentera des candidats aux élections municipales et communautaires de 2011. En Espagne, les communautés autonomes sont l'équivalent des provinces canadiennes, c'est-à-dire le palier intermédiaire entre le niveau local et l'État central.

Cette formation a ceci de particulier qu'elle est ouvertement islamique. Les documents internes du parti sont beaucoup plus explicites que les propos vaporeux de son porte-parole. Il y écrit, noir sur blanc, que le parti se donne pour but « la régénération morale et éthique de la société espagnole » à partir de la doctrine islamique.

Bref, la « bonne » morale pour « régénérer » cette société forcément « dégénérée » sera celle que dicte l'islamisme militant.

Le parti se concentrera d'abord dans les endroits où il pense disposer des meilleurs appuis : Madrid, Barcelone, Valence, Murcia, Tolède, Oviedo, et là où il y a déjà des concentrations importantes de musulmans. C'est un peu comme si, au Canada, un parti présentait des candidats aux élections municipales de Montréal, Toronto, Winnipeg, et aux élections provinciales des cinq ou six plus grosses provinces canadiennes.

Dans quelques petites municipalités, les musulmans constituent déjà la majorité. On prête à ce mouvement des liens avec le régime alaouite du Maroc, mais ses animateurs le démentent et personne n'a encore pu l'établir.

Les médias espagnols ont traité l'affaire très discrètement. C'est sans doute ce que voulaient les organisateurs : passer inaperçus au départ. Rien ou presque dans les médias électroniques. Une petite page dans *ABC*, guère plus dans *El País*, le journal qui se pose comme l'arbitre de la façon « ouverte » et « moderne » de penser.

Le plus sidérant fut l'extraordinaire discrétion de la réaction gouvernementale. Sous couvert de l'anonymat, des « sources » ont laissé savoir, du bout des lèvres, qu'il ne s'agissait pas de la voie à suivre si on se soucie de l'« intégration » harmonieuse. Personne ne s'est avancé pour dénoncer haut et fort cette initiative.

Imaginez un instant que des catholiques fondent un parti politique basé explicitement sur leur foi. Dans les deux pays, la majorité rigolerait de ces demeurés qui vivent dans un autre siècle. Au Québec, certains évoqueraient le retour de la Grande Noirceur et, en Espagne, le retour du franquisme.

Ce parti serait de toute façon incapable de faire élire qui que ce soit, puisque même les catholiques les plus fervents séparent la vie politique et la vie spirituelle, sauf sur la question de l'avortement. Cela fait aussi quelques siècles qu'on ne pose plus de bombes au nom du christianisme.

Par contre, dès qu'il est question des islamistes, l'intimidation fait son œuvre. Tout le monde marche sur des œufs. On ne voit pas que l'islam et l'islamisme sont deux choses différentes. La première est une des grandes religions du monde et mérite le respect. Le second est un mouvement politique totalitaire, dominateur, intolérant, impérialiste, antidémocratique et sexiste, fondé sur des lectures tronquées des textes religieux, qui ne cessera de détester l'Occident que le jour où il l'aura converti. Petit à petit, il tisse sa toile.

10 mars 2010

Des souris et des femmes

Mes enfants ne sont pas très différents des autres. Une des premières choses que mon garçon a faite quand nous sommes entrés dans notre appartement de Madrid a été de brancher son satané *Gamecube*. Je veille évidemment à ce qu'il en fasse un usage modéré.

J'aurais dû veiller d'un peu plus près. Sitôt qu'il a appuyé sur le bouton de démarrage de la petite machine, *pfffft!...* un petit bruit sec... suivi d'un filet de fumée. L'engin venait de rendre l'âme. Incompatibilité de voltage entre l'Europe et l'Amérique du Nord. Le jeune homme n'en a pas été particulièrement affecté et s'est immédiatement mis le nez dans *L'Île au trésor* de Stevenson. Bref, un mal pour un bien.

Notre plan de match est de faire au moins une sortie culturelle par fin de semaine. Le décès accidentel de la petite boîte bleue et le fait d'avoir une télévision perpétuellement enneigée et dépourvue de câble sont, de ce point de vue, une sorte de cadeau du ciel. La vérité oblige cependant à dire que mes enfants ne se font jamais prier pour partir à la découverte de nouvelles choses.

À Madrid, la scène théâtrale est très riche. Lundi qui vient, débutera, sur les planches du théâtre Amaya, *Por el placer de volver a verla* (littéralement, pour le plaisir de la voir de nouveau... qui n'a rien à voir avec le titre original... *Encore une fois, si vous le permettez*)... de Michel Tremblay, oui, *notre* Michel, *el autor canadiense,* comme ils disent. Les artistes québécois francophones sont tous des *canadienses* ici.

Mes enfants ne connaissent du théâtre que les pièces *pour enfants* des sorties scolaires, c'est-à-dire ce théâtre lourdement didactique et soviétisant qui n'a d'autre but que de leur enseigner la rectitude politique d'aujourd'hui. Je cherchais donc pour eux quelque chose à mi-chemin entre la lourdeur (de leur point de vue) des œuvres classiques et la débilité bien-pensante. Quoi de mieux qu'Agatha Christie? Mais oui, *The Mousetrap,* qui venait de prendre l'affiche au petit et charmant Reina Victoria, à prix modique, sous le titre

La Ratonera. Cinq voyageurs, un couple d'aubergistes et un enquêteur coincés par la tempête : qui a tué et tuera de nouveau ?

J'ai lu quelque part que cette pièce, la mère de tous les *whodunit* de théâtre, présentée à Londres sans interruption depuis sa création en 1952, avait rendu millionnaire le petit-fils d'Agatha Christie, à qui elle offrit les droits d'auteur en guise de cadeau d'anniversaire. À Londres, on prie les spectateurs de ne pas révéler l'identité du meurtrier en sortant de la salle. Qu'on ne compte pas sur moi.

Ce n'est rien de grandiose, mais on a droit à deux heures de divertissement garanti. Dans cette production madrilène, les rôles sont tenus par des acteurs de télévision. La mise en scène parvient à un assez bel équilibre entre une adaptation un tantinet modernisée et le respect à l'endroit d'un mini-classique qui pourrait commencer à sérieusement sentir la boule à mites sinon. Pourtant, je me méfiais depuis le moment où j'avais vu, en feuilletant le programme, que le metteur en scène avait à son actif la réalisation d'un court-métrage intitulé *Lesbos Invaders from Outer Space !* Ça ne s'invente pas ça, Madame. On se demande bien pourquoi donner un point d'exclamation à un titre pareil. Une pochade d'étudiant... j'espère. À l'entracte, nous supputions sur l'identité du meurtrier. Nous avions tout faux évidemment.

Je viens de terminer ces jours-ci un travail universitaire plutôt routinier qu'il me fallait compléter dans les meilleurs délais : un petit ouvrage pratico-pratique à l'usage des gens d'affaires pour leur démystifier les rouages gouvernementaux. Des journées intensives penché sur mon clavier d'ordinateur. Après une dernière révision des épreuves, je méritais une pause revigorante pour le cerveau.

Première gâterie... si on peut appeler cela une gâterie : le dernier film de l'Autrichien Michael Haneke, *Le Ruban blanc.* Ce film a tout raflé en Europe en 2009 : meilleur film, meilleur directeur, meilleur scénario, palme d'or à Cannes et j'en passe. C'est en noir et blanc. L'action se passe dans un village de l'Allemagne rurale en 1913. On ne sent pas que l'orage de la guerre s'en vient.

L'histoire est racontée des années plus tard par le jeune instituteur devenu vieux. Des faits mystérieux se succèdent. Un fil de fer presque invisible, tendu entre deux arbres, provoque une grave chute de cheval du médecin. Un enfant handicapé est attaché à un arbre et sévèrement battu. Qui est derrière tout cela ? L'atmosphère s'alourdit dans le village. Le jeune instituteur creuse. Les enfants sont évidemment soupçonnés.

On découvre peu à peu que rien ni personne n'est tel qu'on le croit. Un film sur l'hypocrisie, sur la morale dévoyée, sur la culpabilité refoulée, sur la naissance du fanatisme, qui essaie d'expliquer l'avènement ultérieur du fascisme par en bas plutôt que par en haut, c'est-à-dire en faisant l'hypothèse qu'il existait des prédispositions psychologiques dans de larges couches de la population qui lui ouvrirent en quelque sorte la voie. Mais Michael Haneke n'est pas Agatha Christie. Il ne vous livrera pas un coupable sur un plateau d'acier germanique. Un authentique chef-d'œuvre, en cette époque où l'on s'extasie un peu trop vite.

Le lendemain, cap sur le Monasterio de las Descalzas Reales, qui se traduirait approximativement par le monastère des Royales Déchaussées. Fondé en 1559 et situé en plein cœur de Madrid, aujourd'hui entouré d'édifices modernes, ce couvent de clarisses passe largement inaperçu dans ce quartier très animé. Du temps de l'aristocratie, y entraient les jeunes filles de la noblesse qui voulaient se retirer du monde. Comme leurs riches familles faisaient des dons à la congrégation, le couvent contient aujourd'hui une magnifique collection de tableaux et de tapisseries.

Presque rien n'a dû changer. Y vivent encore aujourd'hui trente-trois religieuses. On ne peut donc visiter qu'une partie du couvent. Le nombre de visiteurs admis en même temps y est très limité, les périodes de visite aussi. Le guide se charge de vous dire, d'un ton très ferme, qu'au-delà des portes qu'il vous indique, personne n'entre... jamais. Évidemment, ceci expliquant cela, on ne voit pas une seule religieuse.

Le couvent tire son nom de ce que, jusqu'au début du XXe siècle, les religieuses y vivaient pieds nus, 365 jours par année. Ne cherchez évidemment pas les tapis. Le plancher est en pierre, pas en bois. Juste d'y penser, un souffle glacé vous parcourt. Aujourd'hui, elles sont chaussées, nous dit-on, de sandales tressées par elles-mêmes avec du matériel recyclé. Notre époque se laisse aller, mais elle a la délicatesse de le faire avec du matériel *recyclé.* En sortant, juste en face, une exposition de toiles de Monet dans le hall d'une banque : que des fleurs, du soleil et de la chaleur. Une coïncidence en forme de contraste. Gratis en plus.

14 mars 2010

L'« interculturalisme », ce fantôme

L'Égyptienne expulsée du cégep de Saint-Laurent pour avoir refusé d'enlever son niqab portera plainte auprès de la Commission des droits de la personne du Québec (CDPDJ).

Pour trancher, cette dernière n'aura d'autre choix que de respecter les balises juridiques fixées par la Cour suprême du Canada. Or, l'article 27 de la Charte canadienne stipule que les jugements rendus doivent « concorder avec l'objectif de promouvoir le maintien et la valorisation du patrimoine multiculturel des Canadiens ». Il est donc loin d'être évident que la CDPDJ pourra donner raison au cégep.

C'est aussi au nom de la liberté religieuse, telle que définie par le multiculturalisme, qu'il était impossible de statuer que la SAAQ avait tort d'accepter qu'un individu qui passe son examen de conduite puisse ne pas être supervisé par une personne de l'autre sexe. Auparavant, la Cour d'appel du Québec avait donné tort aux parents du jeune sikh qui voulait porter son couteau sur lui à l'école, mais la Cour suprême du Canada avait ensuite renversé la décision pour les mêmes raisons.

Le multiculturalisme n'est donc pas qu'une théorie parmi d'autres, mais la doctrine juridico-politique que les tribunaux canadiens sont OBLIGÉS d'imposer. On peut se raconter toutes les histoires que l'on veut sur la capacité du Québec de « choisir » ses immigrants et de gérer à sa convenance la diversité culturelle. Dans les faits, le pouvoir ultime échappe au Québec : être une province entraine de vraies conséquences.

Le rapport Bouchard-Taylor proposait que le Québec adopte une philosophie appelée « l'interculturalisme ». De deux choses l'une : si cet « interculturalisme » est vraiment différent du multiculturalisme, il ne passe pas le test des tribunaux canadiens, et, s'il n'est pas différent, il n'est qu'une façon de rebaptiser le multiculturalisme pour faire passer cette pilule que le peuple refuse d'avaler.

Les « interculturalistes » convaincus que leur position n'est pas du multiculturalisme doivent nous dire où sont les différences importantes, et comment ils proposent de contourner les contraintes posées par l'ordre constitutionnel canadien. Évidemment, j'attends surtout cela de ceux qui se disent souverainistes. Et qu'on ne vienne pas nous dire que le PQ se réclamait, il y a trente ans, de cet « interculturalisme » : le Québec d'alors n'accueillait pas des islamistes fanatiques et la jurisprudence n'était pas ce qu'elle est aujourd'hui.

Le cas des tenants du multiculturalisme qui ont simplement rebaptisé « interculturalisme » leur idéologie de toujours est plus simple. Par exemple, dans *La Presse* du 11 juin 2008, le professeur Daniel Weinstock notait que le rapport Bouchard-Taylor était « un argument massue » contre le projet souverainiste, que son interculturalisme était « somme toute assez canadien » et qu'il fallait avoir une « vision caricaturale » du multiculturalisme pour s'imaginer qu'il y avait de grandes différences entre les deux. J'apprécie la franchise. Posons tout de même la question : pourquoi le chat est-il rebaptisé félin domestique ?

Ces gens se disent aujourd'hui inquiets de la tournure que prend le débat public. Les gouvernements québécois et canadien et les tribunaux sont pourtant de leur côté. Inquiets de trois universitaires et de deux chroniqueurs ? La vérité est qu'ils sont surtout désarçonnés de voir que le peuple s'obstine à ne pas penser comme eux.

15 mars 2010

La verrue

Depuis que je suis en Espagne, je fais des comparaisons avec le Québec. Il serait évidemment idiot de tirer une conclusion globale. Je vous raconte quand même.

Pour que nous obtenions nos visas, la RAMQ avait fourni à chaque membre de ma famille une lettre attestant que la couverture garantie par le régime québécois continuait de s'appliquer à l'étranger sous certaines conditions.

Malheureusement, quand je me suis présenté au commissariat de police de Madrid, qui reçoit les demandes de permis de séjour, on m'a obligé à prendre une police d'assurance maladie privée auprès d'une compagnie locale. J'ai brandi en vain mes lettres de la RAMQ. La femme en face de moi était un vrai butor.

Je m'en suis donc procuré une chez Adeslas, qui est un des gros joueurs de cette industrie en Espagne. Pour l'équivalent de 1500 $ par année, deux adultes et deux enfants sont couverts pour tous les soins de base, certains soins spécialisés, les chirurgies et l'hospitalisation. Il y a évidemment des options plus chromées.

Le mois dernier, mon garçon se retrouve avec une verrue sur la plante d'un pied. Nous ne sommes pas du genre qui va à la clinique pour une niaiserie. Nous achetons à la pharmacie une solution d'acide salicylique et la traitons nous-mêmes. Après un mois, peu de progrès. On se décide à consulter. J'allais enfin voir ce que vaut ma police. C'est là que ça devient intéressant.

Les médecins sont liés par contrat à la compagnie d'assurance de leur choix. Vous devez donc trouver dans le site web de votre assureur la clinique médicale affiliée la plus proche. Il y en a plusieurs dans tous les quartiers. À la première, on m'explique que ce sont les dermatologues qui s'occupent des verrues. Mes réflexes québécois prennent le dessus: « Oh non, je me dis, un spécialiste... on va niaiser longtemps. »

Je vais dans le « D » pour les dermatologues, classés eux aussi par quartier. Le premier me dit qu'il n'enlève pas les verrues, mais me réfère à un de ses collègues, qui est à vingt minutes de chez nous à pied. Chez celui-ci, on me donne rendez-vous... pour le lendemain soir à 20 h 30. Je dis: pardon? J'avais bien compris. Arrive le lendemain. Vers six heures du soir, la clinique nous téléphone pour nous demander si on veut devancer le rendez-vous à 19 heures. On dit oui.

On arrive. Je tends timidement ma petite carte d'assuré. Pas de franchise, pas de ticket modérateur, pas de paperasse à remplir. On attend cinq minutes. Le dermatologue brûle la verrue et veut nous revoir dans quatre semaines, car ces petites choses sont parfois tenaces comme de la mauvaise herbe. Le rendez-vous est fixé tout de suite. On repart. On se demande si on rêve.

Éberlués, on raconte tout cela par courriel à ma belle-sœur qui habite Sherbrooke. Elle cherche aussi un dermatologue pour sa fille. Une histoire de cuir chevelu. Le premier qu'elle a appelé ne prenait plus de nouveaux patients. Le mieux qu'elle a trouvé, c'est huit mois sur une liste d'attente. Aucune nouvelle depuis.

Mais oui, je le sais, un exemple ne « prouve » rien. Inutile d'enfoncer des portes ouvertes. Je vous raconte, c'est tout. Faites-en ce que vous voulez. Comme on dit, je parle pour parler.

22 mars 2010

Le pari de la fermeté

C'est jour de budget demain à Québec. L'équation de base est connue: si le gouvernement veut éliminer son déficit d'ici 2013-

2014 comme il le dit, il devra trouver 11,3 milliards de dollars en quatre ans. C'est énorme.

Comment faire ? Augmenter les impôts ? C'est ici qu'ils sont les plus élevés en Amérique du Nord. S'endetter davantage ? Nous sommes déjà les plus endettés au Canada. Couper des services ? Le meilleur moyen de perdre des votes.

Nous savons qu'en théorie, il faut « travailler » simultanément sur les dépenses et les revenus. Idéalement, il faudrait une combinaison équilibrée, étalée sur plusieurs années, de baisses d'impôts, de hausses des taxes à la consommation et des prestations sociales, et de réductions des dépenses publiques.

Tout l'automne, le gouvernement Charest a donné l'impression qu'il se préparait à donner un grand coup, à déposer un budget qui marquerait un vrai changement de cap. Il a commandé des études qui lui dessinaient la carte routière. Périodiquement, les ministres Bachand et Gignac envoyaient des signaux de fumée sur les tarifs d'électricité ou sur la TVQ.

Les sondages indiquent toutefois que le peuple ne veut rien savoir de se serrer la ceinture. Il se cramponne à l'illusion qu'il existerait des solutions sans douleur. Que le gouvernement fasse le ménage dans sa cour, pense-t-il, et tout ira bien. Puis, toutes sortes de dossiers sans rapport ont fait chuter la cote de popularité du PLQ : construction, garderies, écoles juives et d'autres.

Forcé de choisir entre compromettre encore plus ses chances de réélection et prioriser les intérêts supérieurs du Québec, le gouvernement a tranché et changé de cap. Enfourchant le cheval du préjugé populaire, il commencera, dit-il, par faire son propre ménage. Il n'y aura donc rien de très spectaculaire demain.

Évidemment, il y a toujours lieu de faire un ménage dans l'appareil d'État. Voyez les grotesques primes « à la performance » de la SAAQ. Mais c'est s'illusionner que de penser qu'on y trouvera les milliards qui font défaut.

C'est ici qu'entrent en ligne de compte les négociations avec les syndicats du secteur public. Faire un ménage au gouvernement qui dégagerait une vraie marge de manœuvre, c'est forcément, obligatoirement, toucher aux conditions de travail des employés de l'État, puisque c'est leur rémunération qui constitue le gros des dépenses de l'État.

Or, à tort ou à raison, jamais les syndicats n'ont eu une si mauvaise image auprès des non-syndiqués : fiers-à-bras de la

FTQ-Construction, proposition aberrante de la CSN de hausser les impôts, frasques du SPQ libre, etc. Beaucoup de gens ne feront pas les nuances qu'il faudrait et mettront tout cela dans le même bateau. C'est triste, mais c'est comme ça.

La table est bien mise pour le gouvernement. Il aura beau jeu de dire que si les employés de l'État ne font pas leur part, c'est le peuple qui passera à la caisse. Devinez vers qui penchera ce dernier. Le gouvernement fera donc le pari de la fermeté et cherchera à se refaire une santé politique sur le dos des employés de l'État. Ça s'est déjà vu. Les intérêts supérieurs du Québec, eux, attendront encore.

29 mars 2010

Changement de cap

Lundi, j'avais écrit, un peu désabusé, que le budget ne contiendrait probablement rien de très spectaculaire. Il y a des fois où il faut humblement admettre qu'on s'est trompé. Voici l'une de ces occasions, et c'est tant mieux.

On trouve dans ce budget des mesures très positives, et d'autres dont on pourrait discuter longtemps. L'essentiel est que, pour la première fois depuis longtemps, le gouvernement agit avec la vigueur que commande la gravité de la situation financière.

J'ai écrit mille chroniques disant qu'il n'y avait pas de solutions à nos problèmes qui soient simples, sans douleur et qui pourraient être refilées à une seule catégorie de personnes. Je conviens que ce n'est pas particulièrement plaisant. Mais plusieurs rapports d'experts avaient diagnostiqué depuis longtemps que le Québec ne pouvait plus continuer à pelleter ses problèmes vers l'avant.

En soi, la détermination affichée par le gouvernement pour éliminer le déficit n'est pas particulièrement héroïque. Le PQ a jadis fait voter une loi qui l'y oblige. Ce qui compte, c'est le sérieux de la démarche pour y parvenir. En théorie, vous n'avez que trois options : hausser les revenus, couper les dépenses ou combiner les deux.

Le plan proposé repose sur des hypothèses de croissance des revenus optimistes, mais on en a déjà vu des plus délirantes. Le ménage annoncé dans les structures et les rémunérations au sein de l'appareil gouvernemental ne dégagera pas des sommes mirifiques, mais il fallait bien que l'exemple vienne d'en haut.

Les décisions de hausser les tarifs d'hydroélectricité et les droits de scolarité, et de demander une contribution supplémentaire à l'usager pour financer l'explosion des coûts de la santé, sont issues des recommandations contenues dans des rapports commandés à des experts par le gouvernement. On ne peut, d'un côté, reprocher à un gouvernement de tabletter un rapport quand il n'en suit pas les recommandations et, de l'autre, lui reprocher ensuite de suivre ses recommandations quand il le fait.

Le budget évite heureusement les hausses d'impôt sur le revenu. La hausse de la TVQ, elle, est sans doute désagréable, mais absolument nécessaire et parfaitement prévisible. À tout prendre, c'est la moins mauvaise manière de taxer. Même chose pour la taxe sur l'essence. Seuls ceux qui vivent dans un monde imaginaire pensent vraiment que refiler toute la facture aux riches et aux grandes entreprises réglerait nos problèmes.

Il s'en trouvera pour dire que hausser la TVQ et les tarifs ou hausser les impôts, c'est fouiller dans les mêmes poches. C'est oublier, par mauvaise foi ou par ignorance, que les diverses manières de taxer ont des conséquences très différentes. Imposer les revenus décourage le travail, alors que taxer la consommation la responsabilise jusqu'à un certain point et encourage l'épargne.

On ne verra jamais le jour où les partis d'opposition diront du bien d'un budget. Ils devraient tout de même se garder une petite gêne. On ne peut, d'un côté, déplorer l'état des finances publiques et, de l'autre, s'opposer à toutes les mesures proposées et sans dire comment on s'y serait pris soi-même. Faire croire qu'on peut redresser la situation sans demander des efforts à tous, ce n'est pas sérieux du tout.

31 mars 2010

Ô Canada

Pendant cette année ibérique, ma femme est en congé sans solde. Elle en profite donc pour suivre des cours d'espagnol et d'anglais.

Quand elle est allée s'inscrire à des cours d'anglais, la dame qui était de l'autre côté du comptoir lui a demandé son pays d'origine. Quand ma femme a répondu : « Canada », l'employée s'est étonnée de ce qu'une citoyenne canadienne veuille suivre des cours d'anglais. Pour elle, c'était comme si un Italien de souche s'inscrivait à des cours d'italien. Visiblement, elle n'avait aucune idée qu'un peu plus d'un Canadien sur cinq est francophone. Il va de soi qu'elle savait encore moins que la question des langues est politiquement délicate au Canada. Nous étions pourtant dans une école internationale d'apprentissage des langues, pas dans un garage.

L'offre de cours d'anglais est par ailleurs immense en Espagne. L'apprentissage de cette langue confine à l'obsession pour les Espagnols. Mais derrière le discours utilitaire de justification – il-faut-savoir-l'anglais-dans-le-monde-d'aujourd'hui-si-on-veut-aspirer-à-une-carrière-internationale, ce qui est évidemment vrai –, ce qui met un peu mal à l'aise est cette impression qui se dégage que, pour eux, apprendre l'anglais n'est pas seulement ajouter une corde à son arc, c'est accéder à un niveau supérieur de civilisation, c'est devenir une meilleure personne, c'est presque une élévation ontologique. On constate la même chose chez les Français qui, eux, poussent le ridicule et le snobisme jusqu'à saupoudrer leur conversation de mots en anglais alors qu'ils connaissent parfaitement leurs équivalents français. La chose serait sans doute plus aisément pardonnable et moins agaçante si elle était le fait de gens issus de cultures ultra minoritaires ou parlant des langues de faible rayonnement.

On trouve certes en Espagne des tas de gens, la plupart à vrai dire, qui ont entendu parler du Québec. Mais il est frappant de voir que c'est une lecture intégralement *canadienne* du Québec qui prévaut chez eux. Elle s'exprime de deux principales façons, souvent simultanément : ou bien le Québec est vu comme une *région* du Canada au même titre que les autres, ou alors c'est l'image du Canada bilingue et multiculturel qui surgit, un Canada où chaque Canadien s'exprime indistinctement dans la langue de son choix, et où toutes les cultures se côtoient dans l'harmonie, la tolérance et le respect mutuel. Le rêve trudeauiste quoi. On voit que la diplomatie canadienne a formidablement bien travaillé.

Peu de gens savent que les Canadiens les plus bilingues sont les francophones, que la relation entre les deux langues est fondamentalement un rapport de force qui joue de plus en plus contre le français, que le multiculturalisme canadien est de plus en plus contesté au Canada même, bref, que tout ce qui brille n'est pas or. Ils sont encore moins nombreux à voir dans le Québec le territoire d'une nation distincte. Disons les choses nettement : il y a ici fort peu de sympathie pour le nationalisme québécois.

Certains Québécois sont évidemment fort connus ici. *El País* titrait l'autre jour : « Robert Lepage, vous serez toujours le bienvenu à Madrid ». Le titre coiffait un article dithyrambique. Les pièces de Michel Tremblay sont traduites en espagnol et fréquemment jouées sur les plus grandes scènes. Mais l'idée d'une *nation* québécoise, d'un peuple qui voudrait être autre chose qu'une minorité ethnique est singulièrement peu présente. On me dit que c'était davantage le cas il y a quelques années. J'imagine en effet qu'il y a un prix à payer quand un peuple rate systématiquement les rendez-vous avec l'histoire qu'il fixe pourtant lui-même. On commence par moins vous prendre au sérieux, puis on pense de moins en moins à vous, et on finit par ne prêter attention qu'à nos stars qui s'en vont les divertir.

Dans le monde universitaire, les dimensions politiques de la question québécoise sont évidemment mieux connues, mais à Madrid, elles sont inévitablement vues à travers le prisme des relations infiniment compliquées que l'État central espagnol entretient avec les nationalismes catalan, basque et, dans une moindre mesure, galicien. Inutile de dire que cela ne joue pas en faveur du Québec. J'entendrais sans doute autre chose si j'étais basé dans une université catalane.

À vrai dire, le discours espagnol en faveur de l'unité nationale qui émane de la capitale et qui est repris par la majorité des gens est le jumeau identique du discours sur l'unité canadienne : d'un côté, l'ouverture, la tolérance, l'universalisme, le respect, et, de l'autre, la fermeture, la frilosité et le repli ethnique. On connaît la chanson. Dans l'université où je travaille, la Carlos III, une institution par ailleurs jeune, dynamique et fort agréable, les autorités décernèrent même, il y a quelques années, un doctorat *honoris causa* à... Stéphane Dion. Ai-je besoin d'en dire plus ?

4 avril 2010

Prudence et responsabilité

L'excellente chroniqueuse de *La Presse*, Lysiane Gagnon, déplorait récemment la montée d'une « hystérie anti-islamiste » dans nos sociétés.

Il est vrai que la religion islamique est plus mal vue que jadis. Il est vrai aussi que la grande majorité des musulmans qui vivent parmi nous désirent s'intégrer sans attirer de controverses. Ils subissent les dommages collatéraux provoqués par la montée de l'intégrisme.

Notre inquiétude collective n'est cependant pas sans fondements sérieux. Nous ne sommes pas des malades imaginaires. Tout n'est pas, comme on voudrait souvent nous le faire croire, que tempêtes dans des verres d'eau, incidents isolés et enflure médiatique. L'islamisme militant ne peut d'aucune manière être placé sur le même pied que les autres mouvements politiques à fondement religieux.

Y a-t-il une autre religion au nom de laquelle des États financent des organisations terroristes ? Y a-t-il une autre religion au nom de laquelle on voudrait instaurer un système de justice parallèle au nôtre ? Y a-t-il une autre religion au nom de laquelle des écrivains et des caricaturistes sont menacés de mort par les intégristes ? Y a-t-il une autre religion au nom de laquelle des fanatiques tuent à coups de pierre les gens coupables d'adultère ?

Y a-t-il une autre religion qui, lorsqu'elle est majoritaire dans une société, a autant de peine à coexister avec la démocratie authentique ? Y a-t-il une autre religion qui, lorsqu'elle devient dominante, refuse à ce point de reconnaître aux autres croyances l'espace qu'elle voudrait pour elle ici ? Y a-t-il une autre religion au nom de laquelle l'obsession anti-israélienne agit comme un véritable opium collectif et sert à justifier les faillites spectaculaires de toutes les sociétés où elle est majoritaire ?

Toutes les religions voudraient convertir le monde entier, mais y en a-t-il une autre qui s'y emploie en exprimant si nettement son rejet des fondements philosophiques de nos sociétés ? Toutes les religions ont des franges extrémistes, mais y en a-t-il une autre où les modérés sont à ce point intimidés qu'ils ne dénoncent que du bout des lèvres ceux qui leur font tant de tort ? Toutes les religions ont des rapports troubles avec la sexualité des femmes, mais y en a-t-il une au nom de laquelle cela s'exprime, de nos jours, de manière aussi brutalement obscurantiste ?

Mme Gagnon avance que les femmes totalement voilées ne sont qu'une poignée chez nous et qu'il est donc exagéré de leur interdire l'accès aux services publics. À partir de quel nombre faudrait-il agir ? Quand elles seront 200, 250 ou 2000 ? Et pourquoi un seuil plutôt qu'un autre ? Le propre d'une question de principe est précisément que le nombre n'y est pour rien.

Il est vrai, comme elle le note, que ces questions plongent dans l'inconfort ceux qui en mesurent toute la complexité. L'extrême droite populiste n'a pas ces états d'âme. Même chose, au fond, pour cette gauche multiculturaliste, qui s'accommode toujours de tout, qui pense que le monde est peuplé d'anges, et qui ne condamne vigoureusement que nos propres sociétés.

Entre l'hystérie et l'aveuglement, la seule attitude appropriée est celle de la vigilance responsable.

7 avril 2010

Promenades castillanes

L'avantage de vivre à Madrid est qu'en plus d'y jouir du meilleur climat de toute l'Espagne, on y trouve, dans un rayon de quelques dizaines de kilomètres, des petites villes immensément intéressantes et des tas d'autres choses qui valent le déplacement. Par exemple, des six palais royaux, l'un est à Madrid et les cinq autres sont, chacun, à moins d'une heure de route.

Les paysages des deux Castille – celle du nord, Castille-et-León, et celle du sud, Castille-La Mancha – sont aussi ceux que je préfère : des plateaux aux vastes horizons, dont les lignes droites ne sont interrompues que par le clocher d'une église ou les tours de garde d'un château-fort. Si on va vers le nord, il faut aussi, dès la sortie de Madrid, franchir la sierra de Guadarrama, aux cimes presque toujours enneigées, et dont la verdure tranche avec la couleur ocre de la plaine. Les Madrilènes y vont pour échapper à la chaleur accablante de la capitale en été ou pour y faire du ski en hiver.

Nous avons loué une auto et sommes repartis en excursion de fin de semaine, chien compris. J'avais envie depuis longtemps de visiter Segovia, qui est à 100 kilomètres au nord. C'est une sorte de Tolède du Nord : une ville fortifiée, rugueuse, austère, juchée sur une espèce de triangle rocheux qui fait penser à la proue d'un navire.

À lui seul, le célébrissime aqueduc romain vaut le déplacement. Magnifiquement conservé après 2000 ans, ses lignes sont d'une pureté et d'une simplicité extraordinaires. J'écoutais les réactions des gens autour de moi. Tous, nous y compris, s'émerveillent de ce que ces milliers de blocs de granite ne tiennent que par leur propre poids, sans aucun mortier. Mon garçon, déjà fasciné par la Rome antique, m'a bombardé de questions techniques sur l'ingénierie romaine auxquelles j'ai été parfaitement incapable de répondre.

À l'extrémité est du triangle se trouve l'Alcazar. *Alcazar* est un mot espagnol d'origine arabe qui désigne un palais fortifié. Les origines de celui-ci remonteraient au XIIe siècle, mais un terrible incendie survenu en 1862 força la reconstruction de la majeure partie. L'une des salles a un plafond richement décoré en style mudéjar, qui est l'art décoratif des musulmans restés en Espagne après la Reconquête. On compte dans ce plafond très exactement 392 petites protubérances qui me faisaient penser à des petits ananas jusqu'à ce que ma fille me fasse remarquer qu'il s'agissait de petites pommes de pin, ce que la guide confirma. Dans toutes les visites guidées, ma fille est presque invariablement la plus jeune parmi les visiteurs en âge de parler. Elle est donc souvent prise sous l'aile de la guide qui se sert d'elle pour animer sa présentation. Cela lui donne une autorité considérable pour remettre à sa place son rustre de père.

La professeure de mon fils est originaire de Segovia. Quand ce dernier lui fit part de nos projets de fin de semaine, elle lui recommanda de faire un crochet de 12 kilomètres à peine vers l'est pour visiter le palais royal de San Ildefonso. L'Espagne est remplie de palais de toutes les tailles et de tous les styles, mais on associe la famille royale, depuis les règnes des Habsbourgs et des Bourbons, à six principaux palais, qui sont évidemment les plus magnifiques. Quatre d'entre eux étaient des palais saisonniers : Aranjuez était habité au printemps, San Ildefonso, l'été, L'Escorial, l'automne, et le Palacio Real de Madrid était pour l'hiver.

San Ildefonso est un mini-Versailles né de la nostalgie de Philippe V, petit-fils de Louis XIV, pour le Versailles de son enfance. Comme ce palais fut conçu pour les plaisirs estivaux de la famille royale, les jardins y sont particulièrement magnifiques. Mais le mobilier, les tapisseries, les tableaux sont aussi extravagants. À chaque visite de palais, ma femme, qui a des inclinaisons républicaines plus appuyées que les miennes, est choquée en même temps qu'éblouie de voir que des gens ont jadis pu vivre dans une telle débauche d'opulence pendant que le peuple crevait de faim. J'essaie, sans grand succès, de faire valoir qu'il ne faut pas plaquer notre sensibilité démocratique moderne sur une époque où la majorité ne pouvait même pas concevoir que les choses pussent être autrement.

Ma fille, elle, est encore à cet âge où l'on habite un monde imaginaire peuplé de princesses. La dernière pièce visitée est toujours celle dont elle voudrait faire sa chambre. Invariablement, son frère aîné lève les yeux au ciel. Lui fut plus particulièrement frappé par deux petits tableaux de Luca Giordano qui sont des Adorations de l'Enfant Jésus par les Rois mages. Superbes en eux-mêmes, ils ont ceci de particulier que, peints directement sur du cristal réfléchissant, l'artiste a dû travailler en quelque sorte à l'envers, en s'aidant d'un miroir. À une soixantaine de kilomètres au nord de Segovia, dans le minuscule village de Coca, on trouve aussi une forteresse entièrement construite en style mudéjar qui mérite un détour.

Nous sommes rentrés à Madrid le soir et, le lendemain, sommes partis vers le sud en direction d'Aranjuez. Dans les jardins de ce palais royal de printemps, on trouve un très étrange musée de gondoles royales. La plus richement décorée d'entre elles, toute en dorures rococo, fut construite pour les plaisirs nautiques de Philippe V. Allez sur Google et tapez Museo de Falúas Reales de Aranjuez (ou quelque chose du genre) : vous verrez tout de suite de laquelle je veux parler.

Elle est si extravagante qu'on éclate de rire au premier coup d'œil, pour se dire ensuite que la tentation de couper la tête à ces prétentieux n'était finalement pas si déraisonnable. Le plus grotesque est que cette immense embarcation à rames, d'une bonne douzaine de mètres de long, était utilisée pour que le souverain se fasse promener dans le lac artificiel situé en plein cœur du parc du Retiro à Madrid. Or, à vue d'œil, cet étang doit faire dans les 300 mètres de long et 100 mètres de large, guère plus. L'immense gondole ne pouvait donc faire que de très petits cercles. Autant dire que le roi faisait joujou dans l'équivalent d'une grosse baignoire.

Sur le chemin du retour vers Madrid, nous avons fait un crochet d'une trentaine de kilomètres vers l'est pour aller visiter Alcalà de Henares, la ville natale de Cervantès, l'auteur de *Don Quichotte*. On peut encore visiter sa maison en bonne partie reconstruite. Les Madrilènes aiment venir déambuler la fin de semaine dans cette ville tranquille pleine de terrasses et de balcons fleuris.

C'est dans le palais de l'archevêque du lieu que Christophe Colomb exposa pour la première fois à Isabelle la Catholique son amusante idée d'aller découvrir de nouveaux mondes. Le plus intéressant est cependant la visite du pavillon central de l'université. Fondée à la fin du XVe siècle par le cardinal Cisneros, l'Université d'Alcalà de Henares fut longtemps la plus prestigieuse d'Espagne avec sa grande rivale de Salamanque. Elle fut, dit-on, la première université au monde dont on planifia le campus de A à Z dans le sens moderne du terme.

Spécialisée à l'origine dans les humanités, puisque les sciences balbutiaient à cette époque, elle attira les plus grands esprits du monde hispanique de son temps : Tirso de Molina, Calderon de la Barca, Lope de Vega, Francisco de Quevedo. Mais pas Cervantès, dont le métier d'origine était soldat. Le guide, un charmant jeune homme qui y étudie, nous racontait que les cancres étaient à l'époque traînés dans la cour centrale, roués de coups de pied, et subissaient *La Gran Nevada* (le grand « enneigement ») : leurs camarades leur crachaient dessus jusqu'à ce que leur tunique soit blanche comme neige.

Pendant les quatre cents premières années, on n'y décerna que 30 titres de docteur. Il nous a expliqué pourquoi : l'examen doctoral durait un mois, il fallait pouvoir répondre à des questions sur n'importe quoi dans cet esprit de la Renaissance selon lequel un homme cultivé devait pouvoir discourir intelligemment sur tout, et un vote unanime du corps enseignant était requis. *O tempora o mores !*

9 avril 2010

Les petits cochons

Si vous êtes encore fâché par le budget Bachand, jetez un coup d'œil du côté de la Grèce. Ça relativise nos souffrances.

Aucune famille idéologique n'a le monopole de la vertu ou de la turpitude. En Grèce, la gauche fraîchement élue en octobre dernier vient de découvrir que les prévisions économiques de l'ancien gouvernement conservateur étaient risibles. La Grèce a aussi lourdement maquillé ses comptes publics pour faire croire qu'elle satisfaisait aux conditions d'admissibilité à l'Union européenne.

En réalité, la dette grecque et son déficit pour 2009 représentent respectivement 113 % et 12,7 % de son PIB. Pour rester dans la zone euro, il faut respecter les règles du club. Les Grecs devront donc ramener leur déficit à 8,7 % du PIB en 2010 et à 2,8 % en 2012. Sinon, c'est la porte.

Le gouvernement Papandreou a donc sorti la médecine de cheval : gel des pensions, gel des salaires des fonctionnaires, fin du mois de vacances payé, compressions de 30 % dans les bonis de Noël et de Pâques, hausse de la taxe de vente et des taxes sur l'essence et l'alcool, et coupes supplémentaires à identifier. Les marchés ne pensent pas que cela suffira. Le FMI vient donc de débarquer à Athènes pour fouiller dans les tiroirs et poser les vraies questions.

Le gouvernement vit littéralement de mois en mois. De peine et de misère, il vient de payer à ses créanciers les versements dus pour avril. Il cherche comment faire face à ses obligations de mai. S'il n'arrive pas à refinancer sa dette, il se retrouvera en suspension de paiements.

La Grèce est le maillon le plus faible d'un groupe de cinq pays que la sortie de crise laisse derrière elle. L'Espagne a quatre millions de chômeurs. L'Irlande a vu sa croissance reculer de 7,4 % cette année. La dette de l'Italie est à 116 % de son PIB. Le Portugal a un peu de tout ça.

Prenant la première lettre de chaque pays en anglais, le *Financial Times* a surnommé ces derniers de classe les « P.I.I.G.S. » (les cochons). Leur amour-propre en a souffert, mais l'expression a fait fortune. Ce club des cinq demande aujourd'hui à l'Union européenne d'être « solidaire ». En langage clair, ils veulent que l'Allemagne ramasse la note pour eux.

L'Allemagne dit qu'elle n'ira pas au-delà de l'aide déjà consentie et, qu'à partir de maintenant, la Grèce devra ramer seule. Les petits cochons comprennent que le traitement du cas grec est un avertissement qui leur est adressé. Quand le chef du gouvernement espagnol, M. Zapatero, a lancé un appel à l'entraide, la chancelière allemande l'a fusillé d'une phrase : « Vous, avez-vous les moyens d'aider qui que ce soit ? »

On peut la comprendre. Pendant que les autres empruntaient comme des joueurs compulsifs et dépensaient comme des marins soûls en permission, l'Allemagne exportait comme jamais, les ménages allemands restreignaient leur consommation et épargnaient, et les entreprises allemandes augmentaient leur productivité et baissaient leurs coûts de production.

Étonnante Mme Merkel. Elle croit que la discipline se récompense, que l'indiscipline se pénalise, et que les gouvernements et les peuples qui les élisent doivent assumer leurs responsabilités. De drôles d'idées de nos jours.

12 avril 2010

Vertu et vérité

Chaque semaine amène de nouvelles révélations embarrassantes pour l'Église catholique en matière de pédophilie.

Mettons cartes sur table : je ne sais pas si Dieu existe, probablement pas. Un jugement sérieux sur le bilan historique de l'Église est aussi, forcément, un jugement infiniment nuancé. Je lui suis cependant reconnaissant pour les repères intellectuels qu'elle m'a donnés.

Visiblement ébranlé, Benoît XVI improvise au jour le jour ses réponses. De toute évidence, la gestion de crise à l'ère de la modernité médiatique n'est pas sa spécialité.

Dans l'opinion publique, deux attitudes occupent presque toute la place. Les deux simplifient à outrance.

La première réduit le problème à une question de pommes pourries trop longtemps protégées par l'establishment catholique. La seconde voudrait profiter de la crise pour condamner en bloc une institution tout juste bonne, de son point de vue, pour les poubelles de l'Histoire.

Spontanément, on est porté à penser qu'une institution qui interdit le mariage aux prêtres et la prêtrise aux femmes s'expose à ce que beaucoup de ses membres soient des déviants sexuels. Il faut en effet une force de caractère incroyable pour résister aux tentations de la chair pendant une vie entière, surtout quand on est placé en position d'autorité sur des jeunes vulnérables.

Personne n'est cependant en mesure de prouver que le pourcentage de pédophiles au sein du clergé catholique est plus élevé que dans la population en général. L'explication du problème est ailleurs.

Plusieurs institutions modernes reposent sur l'idée qu'un homme à qui on donne beaucoup de pouvoir sera fortement tenté d'en abuser. Selon le contexte, on a donc prévu divers mécanismes institutionnels qui limitent la concentration de pouvoir, généralement en instaurant des contre-pouvoirs : contrôle de l'exécutif par la législature, tribunaux indépendants, opposition officielle, droits individuels, etc. Rien de cela n'existe à l'intérieur de l'Église.

Il serait ridicule de lui en faire le reproche. L'Église ne peut évidemment pas être une démocratie : on ne pourrait pas élire un curé selon que l'interprétation de la parole divine de l'un nous convient plus que celle de l'autre. Par définition, cette parole est posée comme une vérité indiscutable.

Toute l'organisation ecclésiastique repose aussi sur l'idée que le prêtre est forcément vertueux, puisqu'il a choisi ce difficile chemin et qu'il est plus proche de Dieu que vous et moi. L'idée qu'il saura résister à la tentation est un des fondements de l'édifice.

L'Église ne dispose donc d'aucun des freins habituels pour encadrer le pouvoir. Tout repose exclusivement sur la confiance. Au contraire, les règles internes sont conçues pour appliquer le dogme sans fléchir, imposer l'autorité et projeter une image de perfection. La logique de la machine la conduit à étouffer les scandales.

Tous les experts en gestion de crise vous diront que la meilleure carte à jouer en cas de scandale est, de nos jours, celle de la transparence la plus complète. Mais c'est impossible ici, parce que tout l'édifice s'effondrerait.

On se retrouve donc devant un fabuleux paradoxe : l'institution qui se voudrait la plus vertueuse de toutes est la plus mal outillée pour lutter contre les attentats faits à la vertu.

14 avril 2010

Vers un référendum ?

Un référendum sur la souveraineté est peut-être moins éloigné qu'on ne le pense. Sauf que ce ne serait pas au Québec qu'il aurait lieu. Je vous raconte.

En Espagne, la constitution actuellement en vigueur date de 1978. Elle prévoit qu'un tribunal constitutionnel, composé de 10 éminents juristes, est chargé de veiller à la constitutionnalité de toutes les lois.

En 2006, la Catalogne s'est dotée de sa propre constitution, qu'on appelle le Statut d'autonomie. Ce texte fut approuvé par référendum, puis adopté par le Parlement catalan et le Parlement central de Madrid.

Il définit la Catalogne comme une nation. Il prévoit aussi un élargissement considérable des pouvoirs du Parlement catalan, notamment en matière linguistique, de même qu'un nouveau partage de l'assiette fiscale entre Madrid et Barcelone. Des lois importantes ont été votées en l'invoquant.

Dès son adoption, l'opposition officielle a immédiatement déposé devant le tribunal constitutionnel une requête pour inconstitutionnalité. Le nœud de l'affaire est de savoir s'il peut y avoir, en

Espagne, une autre nation que la nation espagnole, et les implications d'une réponse positive ou négative à cela. La constitution de 1978 ne reconnaît qu'une nation, mais ferme-t-elle la porte à ce que d'autres soient reconnues ? Les adversaires du Statut avancent aussi qu'il pose les bases d'une confédération bilatérale, fondée sur une souveraineté-association qui mènera inévitablement à l'indépendance complète de la Catalogne.

Depuis quatre ans, les membres du tribunal constitutionnel délibèrent derrière des portes closes. Ils essaient de dégager une position consensuelle qui tienne la route au plan juridique et qui éviterait une crise politique. Blocage complet : chaque membre du tribunal suit la ligne du parti qui l'a nommé.

Excédée, pressée de toutes parts, à bout de recours et à bout de nerfs, la présidente du tribunal vient, pour la première fois, de mettre au vote la cinquième opinion soumise à la discussion, qui était globalement favorable au Statut. Par six votes contre quatre, elle a été rejetée. Un juge nommé par le gouvernement Zapatero a changé de camp et a donné une courte majorité au bloc qui soutient l'inconstitutionnalité de pans essentiels du Statut catalan.

Un nouvel essai sera maintenant tenté par un membre du tribunal présumé plus hostile à l'autonomie catalane. La direction du vent se précise. Courroucé, le chef du gouvernement catalan suggère qu'on remplace les quatre membres du tribunal dont les mandats sont échus depuis décembre 2007, mais que l'on avait maintenus à leurs postes en espérant un dénouement rapide de l'affaire.

Le gouvernement catalan, évidemment favorable à sa propre constitution, est une coalition de trois partis. Le plus petit membre de la coalition, l'ERC (la gauche républicaine), avance qu'il est impensable que le sort d'un texte approuvé par référendum et entériné par deux parlements soit entre les mains de gens non élus.

L'ERC estime qu'il ne faut plus perdre de temps à essayer de réformer le système de l'intérieur. Elle laisse entendre qu'au lendemain des élections catalanes de l'automne, elle pourrait proposer la tenue d'un référendum sur la souveraineté de la Catalogne.

On n'en est pas là, mais la température monte rapidement. Vous ne seriez pas dépaysés. Je vous tiendrai au courant.

21 avril 2010

Les nouveaux Acadiens

À Ottawa, libéraux et conservateurs préparent ensemble un grand coup.

Ils veulent ajouter 30 sièges au Parlement fédéral : 18 en Ontario, 7 en Colombie-Britannique et 5 en Alberta. Comme le Québec aurait désormais 75 sièges sur 338 et non plus sur 308, notre part de la députation fédérale chuterait à 22,19 %.

Stephen Harper gouverne déjà le Canada avec une députation québécoise minimale, pour ne rien dire de sa qualité encore plus minimale. Avec la réforme envisagée, il pourrait obtenir la majorité qu'il cherche sans devoir s'astreindre à recruter quelques corps chauds dans la Belle Province, idéalement avec la puissance intellectuelle d'une bougie pour ne pas trop le déranger, afin d'occuper les banquettes conservatrices et faire quorum.

Évidemment, mettez-vous à la place du Canada anglais ! Dans une démocratie représentative, il est logique que la composition du Parlement reflète l'évolution démographique. Ah, mais c'est que nous, les Québécois, sommes une nation, non ? Notre cas est particulier, direz-vous.

Ne me faites pas rire, s'il vous plaît ! Il n'y a que nous qui croyons cela. À l'ouest de la rivière des Outaouais, nous sommes vus comme une minorité ethnique au même titre que les Italo-Canadiens de Toronto, avec la sympathie en moins.

Remarquez, ce n'est pas nouveau. Ils n'y ont JAMAIS cru. Entre l'Acte d'Union de 1840 et la Confédération de 1867, le Parlement du Canada-Uni était composé à parts égales de députés issus des deux nations puisqu'il était le résultat de la fusion du Bas-Canada et du Haut-Canada. Or, dès 1853, George Brown, le leader des Clear Grits du Haut-Canada, les ancêtres de l'actuel PLC, réclamait la représentation proportionnelle, le « *Rep by pop* ». Il n'y avait qu'une nation, disait-il.

Avant cela, dès 1838, dans une lettre à son ami Berthelot, Louis-Hyppolite LaFontaine expliquait que si les francophones du Bas-Canada ne contrôlaient pas leurs institutions politiques, « nous deviendrions à coup sûr des Acadiens ». Nous partons de plus haut, mais c'est bel et bien la pente sur laquelle nous sommes engagés.

Les francophones ne contrôlent plus désormais que le Parlement de Québec, dont les compétences sont « locales », comme le dit si joliment l'article 91 de la Constitution de 1867. Elles seront d'ailleurs de plus en plus locales. Mondialisation oblige, le vrai pouvoir continuera à se concentrer à Ottawa, où le French Power de jadis est une espèce en voie d'extinction rapide.

Il y aura quelques concessions occasionnelles quand les indigènes s'énerveront.

LaFontaine avait plus de cent cinquante ans d'avance. Le Québec d'aujourd'hui s'« acadianise » à la vitesse grand V dans l'indifférence générale et en sifflotant le petit refrain multiculturaliste politiquement correct. Si ça nous chante, nous pourrons continuer à voter pour le Bloc jusqu'en 3147 après Jésus-Christ. Ottawa nous laissera les nids-de-poule, les décrocheurs du secondaire et les couloirs des hôpitaux.

Mais où avais-je la tête ? Nous sommes nationalistes quand ce n'est pas trop forçant. Halak ou Price ? *That is the real question !*

Wilfrid Laurier avait raison : nos concitoyens ont, pour la plupart, plus de sentiments que d'opinions. Pardonnez-moi de vous avoir dérangé avec ces niaiseries.

26 avril 2010

La panne

Au Québec, tant les souverainistes que les fédéralistes évoquent souvent l'Union européenne à l'appui de leurs thèses respectives.

À l'avenir, les deux devront trouver de nouvelles sources d'inspiration. L'Union européenne traverse la plus grave crise existentielle de son histoire. Elle sera surmontée, mais le projet qui se déployait ces dernières années est sans doute mort.

Tout part de la Grèce. Les autorités européennes viennent de statuer que sa situation réelle est encore pire que ce qui était estimé. Moody's a de nouveau baissé la cote de crédit des Grecs. La contagion s'étend maintenant aux autres maillons faibles de la chaîne européenne. Toutes les Bourses du sud de l'Europe ont baissé cette semaine. L'euro glisse par rapport à la devise américaine.

Les regards se tournent maintenant vers le Portugal, qui occupe le lit voisin aux soins intensifs. Son gouvernement vient d'annoncer de sévères mesures d'assainissement des finances publiques. Les mauvaises langues disent qu'il attendra que la situation empire et qu'il ira chercher du secours à Bruxelles, en alléguant qu'il faut faire pour lui ce qu'on a fait pour la Grèce. L'Espagne et l'Irlande sont, elles aussi, sous haute surveillance.

L'Allemagne est de plus en plus impatiente. L'électorat allemand trouve qu'il en fait déjà trop pour les autres. Au nom de la solidarité, on lui demande de financer le manque d'autodiscipline et de solidarité des autres à son endroit. Des membres de la coalition de Mme Merkel s'interrogent à voix haute sur la constitutionnalité de l'aide consentie.

Dans le projet européen, l'Allemagne a imposé aux autres ses règles. Mais les autres n'arrivent plus à suivre. Vingt pays sont audessus de la limite permise d'un déficit de 3 % par rapport au PIB. Ils voudraient un assouplissement. Les Allemands, qui respectent la règle du jeu, ont le sentiment d'être les dindons de la farce.

L'écart est trop grand entre les économies du Nord, celles du Sud, et les ex-républiques soviétiques. Les économies plus pauvres tirent les autres vers le bas. Il devient impossible d'avoir une politique commune cohérente. Agrandir est une chose, intégrer et digérer en est une autre.

La Turquie, qui fait des pieds et des mains pour être admise dans le club, va attendre longtemps. Elle serait le pays le plus grand et le plus pauvre de l'Europe, le seul aussi à majorité musulmane, et ses millions de ressortissants se déplaceraient librement à travers tout le continent. L'Europe vit déjà suffisamment de tensions.

L'Europe est non seulement embourbée économiquement, elle est aussi impuissante politiquement quand ça compte. Pendant la guerre des Balkans, incapable de faire régner la paix chez elle, elle a dû se tourner vers les États-Unis. L'identité européenne, elle, reste un dada des élites. Les peuples demeurent farouchement nationalistes.

La construction européenne, telle qu'elle a été rêvée, ne se réalisera pas. Pour l'avenir, deux avenues se dessinent. La première limiterait l'Europe à une vaste zone de libre-échange seulement, un peu sur le modèle nord-américain. Finie la monnaie unique. C'est le rêve britannique. La deuxième serait d'accepter une Europe à plusieurs vitesses pour sauver la monnaie unique. Bref, c'est le retour à la planche à dessin.

28 avril 2010

L'érosion

Normalement, le PQ ne devrait avoir aucune difficulté à remporter la prochaine élection. Voyons cependant les choses de plus près.

À l'élection de 1994, le PQ avait obtenu 1 751 442 votes. Il promettait alors un référendum et son chef n'était pas l'homme le plus populaire en ville. Puis, à l'élection de 1998, après les plus dures compressions budgétaires de l'histoire du Québec, le PQ de Lucien Bouchard recueillait 1 744 240 votes.

À l'élection de 2008, le PQ ne récolta plus que 1 141 751 votes. Entre 1994 et 2008, le PQ a donc perdu plus d'un demi-million de voix, soit très exactement 609 691 votes.

En comparaison, l'effritement du vote libéral fut moindre: 371 652 votes de moins en 2008 qu'en 1994. L'explication la plus vraisemblable est sans doute l'ultra-fidélité au PLQ des anglophones et des allophones, qui estiment n'avoir nulle part d'autre où aller.

Ce tassement du vote péquiste ne fut pas une chute subite, mais une érosion graduelle, étalée sur cinq élections. Elle n'est donc pas un phénomène conjoncturel, lié à un événement précis ou à l'antipathie envers un chef particulier.

Dans les faits, l'érosion est encore beaucoup plus forte qu'il n'y paraît, puisque entre 1994 et 2008, le nombre total d'électeurs a fortement augmenté, passant de 4,8 millions à 5,7 millions.

Par ailleurs, en 2008, 696 114 électeurs de moins qu'en 1994 ont voté, faisant chuter le taux de participation de 81,58 % à 57, 43 %. En réalité, le PQ a donc reçu en 2008 l'appui de seulement 19,8 % du total des électeurs, soit moins de un électeur sur cinq.

Bref, sur le long terme, non seulement le PQ perd des votes, mais il capte une part sans cesse réduite de l'ensemble de l'électorat. Si plusieurs électeurs traditionnellement péquistes se tournent vers d'autres partis, beaucoup décrochent de la politique et restent désormais chez eux, sans être remplacés par de nouvelles cohortes aussi nombreuses de jeunes sympathisants.

En 2008, Pauline Marois a certes stoppé cette érosion, mais le progrès réel par rapport à l'élection de 2007 fut d'à peine 16 205 votes, soit un gain moyen de seulement 128 votes par circonscription.

Les derniers sondages donnent au PQ autour de 40 % des intentions de vote. Il a pourtant en face de lui un gouvernement libéral qui bat des records de mécontentement. L'ADQ ne se relève pas et

QS ne va nulle part. Le PQ n'a pas de concurrence sérieuse pour capter le vote des mécontents.

Logiquement, rien de cela ne devrait empêcher le PQ de remporter la prochaine élection. On dira que les absents ont tort, et qu'une victoire est une victoire. Mais c'est plus compliqué que cela.

Faites une règle de trois : imaginez que le PQ remporte avec 40 % du vote une élection où seulement 60 % des gens votent. Cela voudrait dire que plus de trois électeurs sur quatre n'auraient pas voté pour lui. Quelle base politique aurait-il pour faire quoi que ce soit de difficile et d'ambitieux ? Nous savons pourtant que les prochaines années seront pénibles.

J'ai expliqué, dans mon livre *Quelque chose comme un grand peuple,* les causes nombreuses et complexes de cette érosion. Seul un idiot pourrait prétendre qu'il y a des solutions simples. On aimerait toutefois sentir que le PQ s'en préoccupe.

Le Québec en a désespérément besoin.

3 mai 2010

Coup de massue

Étant toujours en Europe, je suis aux premières loges pour assister à un événement historique : la perte par un pays développé de sa souveraineté nationale.

Le gouvernement d'Athènes ne l'admettra jamais, mais c'est bien de cela qu'il s'agit, du moins pour un temps. L'Union européenne et le FMI prêteront à la Grèce, au cours des trois prochaines années, 110 milliards d'euros à 5 % d'intérêt. C'est le plus gros sauvetage financier consenti à un pays en temps de paix de toute l'Histoire.

L'Europe s'y est résolue parce qu'il s'agit de sauver le projet commun autant que la Grèce elle-même. En contrepartie, le gouvernement Papandreou a promis de mettre en place des réductions de dépenses de 35 milliards d'euros pour les trois prochaines années.

Pour vous donner une idée plus concrète, comparons-nous à eux en arrondissant grossièrement.

La Grèce compte 11,2 millions d'habitants et le Québec en a 7,8. En 2006, donc avant la crise, le revenu moyen par habitant, avec les corrections qui tiennent compte du coût de la vie, était de 33 004 $

en Grèce et de 30 910 $ au Québec en dollars américains. Les ordres de grandeur ne sont pas si différents.

Faisons une règle de trois rudimentaire juste pour jaser. Si vous mettez l'euro à 1,4 dollar canadien, réalisez-vous ce que c'est que de comprimer les dépenses publiques de 50 milliards de nos dollars en trois ans pour une population plus grosse que la nôtre d'un tiers et à peu près riche comme nous ?

La taxe de vente passera à 23 %. Personne n'aura de pension de retraite publique avant 60 ans. Il faudra avoir travaillé 40 ans dans le secteur public et non plus 35 pour avoir la pleine retraite. Cette dernière sera calculée sur toutes les années de contribution et non plus seulement sur les meilleures. Les pensions actuelles ne seront pas indexées pendant trois ans.

Les impôts seront évidemment augmentés. La hausse du prix des alcools fera même réfléchir les alcooliques. Tout le monde s'entend : à court terme, les choses iront encore plus mal, avant de remonter, au mieux, dans quatre ou cinq ans. Le pire est que la Banque centrale européenne avertit que cela risque de ne pas suffire.

Nikos, chirurgien dans un hôpital d'État, calcule qu'il devra repousser sa retraite de cinq ans. Lui et sa femme perdront, croit-il, des revenus annuels combinés de 20 000 dollars, sans compter la hausse des prix. Dimitri, retraité après 35 ans à l'emploi de l'aviation civile, pense qu'il devra quitter Athènes et retourner vivre dans son village d'origine.

Par contre, Yorgos, cadre dans une chaîne hôtelière, se réjouit de pouvoir désormais congédier plus facilement des incompétents jusqu'ici protégés par un marché du travail extraordinairement rigide. Cependant, quels touristes, dit-il, auront envie de visiter un pays qui s'installe dans la grève générale et le chaos social pour l'avenir prévisible ?

Le gouvernement devra maintenant faire avaler la pilule aux citoyens. Il dispose de la majorité parlementaire pour adopter les décrets requis. Mais la vraie opposition est désormais dans la rue et promet une lutte à finir. Ne me demandez pas comment ça va finir.

5 mai 2010

Où est Lorca ?

C'est une très étrange affaire. Pleine de mystère et de tristesse, et qui dure depuis des années.

Federico García Lorca fut indiscutablement le plus grand dramaturge espagnol du XXe siècle. Il fut aussi un immense poète. Pour la scène, il a signé d'impérissables chefs-d'œuvre comme *Bodas de Sangre* (*Noces de sang*) et *La casa de Bernarda Alba*. Ses recueils de poésie, comme par exemple *Romancero gitano*, traversent aussi le temps. Au cinéma, il collabora avec ses amis Dalí et Buñuel pendant la période surréaliste.

Il était homosexuel à une époque et dans un pays où l'ouverture à cet égard était pour ainsi dire inexistante. Dès le déclenchement de la Guerre civile espagnole, en 1936, il fut arrêté par des miliciens hostiles à la République et fusillé, autant, pense-t-on, pour ses idées politiques que pour ses mœurs. Il avait 38 ans.

Le général Franco fit interdire son œuvre jusqu'en 1953. Bourrée de symboles et de métaphores, elle aborde une variété de thèmes fondamentaux : la mort, le mal de vivre, l'hypocrisie, le moralisme de façade et bien d'autres.

La brièveté de sa vie, la complexité de sa personnalité, sa fin tragique, la qualité de son œuvre ont fait de Lorca un mythe qui hante toujours l'Espagne. Il faut dire que la Guerre civile est encore si proche qu'elle fait presque partie du présent des Espagnols. Les historiens la creusent, des témoins racontent. Elle divise encore la gauche et la droite espagnoles d'aujourd'hui.

Mais où est enterré Lorca au juste ? Voilà l'étrange affaire dont je parlais. Toutes sortes de rumeurs et d'hypothèses circulent. C'est un peu l'équivalent espagnol de l'assassinat de JFK. La version la plus communément admise jusqu'ici était que ses exécuteurs firent enterrer son corps dans une fosse commune creusée à la hâte, à Alfacar, près de Grenade, là où il fut tué. Cette version reposait sur le témoignage d'un homme, Manuel Castilla, serveur de son métier, qui disait avoir fait partie de ceux chargés de disposer du corps. Il raconta ensuite son histoire à tous les biographes de Lorca et, à vrai dire, à tous ceux qui voulaient l'entendre et même à ceux qui ne le voulaient pas.

Comme Lorca est une des gloires de l'Espagne, les autorités se mirent donc en tête de lui donner une sépulture digne de lui. Il faudrait pour cela exhumer le corps. La famille de Lorca, mise mal à l'aise par tout le tumulte mais d'une remarquable dignité, laissa savoir qu'elle ne le souhaitait pas, mais qu'elle n'y ferait pas obstacle. Il est également acquis que Lorca avait été enterré en compagnie de deux de ses amis, toréros de leur métier, exécutés en même temps que lui. Les descendants de ces derniers, eux, souhaitaient ardemment localiser les dépouilles des leurs. Voyez l'affaire. On se rendit finalement à l'endroit maintes fois désigné par Castilla. On fouilla pendant quarante-sept jours. Rien.

La spéculation fut relancée de plus belle. Des voix s'élevèrent pour dire qu'il fallait creuser à 430 mètres de là. D'autres sont d'avis que le corps a depuis longtemps été transféré dans la basilique de la Valle de los Caídos, près de Madrid, là où reposent les restes, pour la plupart non identifiés, d'environ 40 000 victimes de la guerre. Le juge Baltasar Garzón, qui semble ne pas pouvoir passer une journée sans faire parler de lui, s'en mêla. On laissa aussi entendre que de mystérieuses méthodes modernes permettraient de détecter la présence d'ossements humains. Un cirque, vous dis-je. La famille de Lorca, elle, demande un peu de retenue et de dignité.

Je pense pour ma part qu'on devrait ne plus remuer de terre. Laissons Lorca en paix, où qu'il soit. On oublie en effet le plus important : immense et éternelle, son œuvre est lue et jouée dans le monde entier. Tant que ce sera ainsi, il sera plus vivant que jamais. Où est Lorca ? Nulle part et partout.

9 mai 2010

Un nouveau parti ?

Il y a longtemps qu'on ne parlait pas autant de la création éventuelle d'un nouveau parti politique au Québec.

C'est évidemment un symptôme de ce que l'offre politique actuelle répond mal à la demande citoyenne. Les chiffres pourront déplaire aux militants, mais ils sont parfaitement indiscutables : sur le long terme, le PLQ et le PQ captent aujourd'hui une part beaucoup plus réduite que jadis de l'ensemble de l'électorat. Les causes de cela sont nombreuses, mais il y en a trois principales.

La première est que toute notre vie politique est structurée autour de la question nationale, qui est présentement dans un cul-de-sac complet. Le PLQ s'accommode parfaitement d'un Canada dans lequel le Québec est de plus en plus marginalisé. Le PQ reconnaît ouvertement qu'il ne peut conduire le Québec à la souveraineté dans un avenir prévisible. S'il pensait le contraire, il prendrait l'engagement de tenir un référendum sitôt élu, ce qu'il a évidemment raison de ne pas faire.

La deuxième cause du décrochage citoyen est la montée du sentiment que nos deux grands partis sont davantage intéressés à conquérir le pouvoir qu'à confronter les immenses défis économiques et sociaux du Québec d'aujourd'hui, qui nécessiteraient des décisions douloureuses et impopulaires. C'est plus vrai que faux.

La troisième raison est la multiplication d'histoires qui dégagent une désagréable odeur de corruption. Les affaires les plus récentes touchaient surtout le PLQ, mais elles minent toute la classe politique. On ne lui fait plus confiance.

La percée de l'ADQ en 2007 peut donner à penser qu'il y a de l'espace pour un nouveau mouvement politique. Autre donnée cruciale : les gens qui ont lâché l'ADQ en 2008 sont restés chez eux plutôt que de retourner vers les partis traditionnels. Ils y sont toujours.

Notre régime parlementaire et notre mode de scrutin sont cependant organisés pour que deux partis s'échangent le pouvoir. Historiquement, un nouveau parti ne décolle pour de bon que lorsque quatre conditions sont réunies simultanément : il doit incarner un mouvement social émergent, fédérer de petites formations préexistantes, avoir un chef de grande envergure, et profiter d'une crise qui tue ou marginalise durablement l'un des deux grands.

Au Québec, la dernière fois que cela survint fut lorsque René Lévesque, en 1968, fit l'unité des nationalistes de gauche et de droite. Il regroupa des libéraux nationalistes et les anciens du RIN et du Ralliement national. L'Union nationale ne sut comment réagir et en mourut. En Grande-Bretagne, au début du XXe siècle, la montée des travaillistes transforma les libéraux en formation marginale.

En dépit de ces bouleversements, le système politique britannique reste obstinément bipartiste, précisément parce qu'il a été conçu pour produire cette stabilité. C'est simplement l'un des deux protagonistes qui est parfois remplacé par un nouvel acteur. Présentement, le PLQ et le PQ piétinent, mais conservent des bases solides, quoique réduites.

Si un nouveau parti ne parvient pas à s'imposer durablement, deux choses peuvent alors survenir : le parti devient une particule, comme Québec solidaire, ou bien, comme chez nous en 2007 ou en Grande-Bretagne la semaine dernière, il fractionne l'électorat en trois pointes de tarte et fait naître des gouvernements minoritaires. Je poursuis après-demain.

10 mai 2010

Un nouveau parti ? (2)

Je poursuis la réflexion amorcée lundi sur la création d'un nouveau parti politique.

Si ce parti vise le pouvoir et pas seulement la promotion d'idées, il lui faut un programme crédible, quelques millions de dollars et, surtout, des candidats « ministrables ». Pour réussir là où l'ADQ a échoué, une nouvelle formation devrait donc attirer des péquistes et des libéraux connus.

Personne d'envergure n'a quitté le PLQ depuis l'échec de Meech. Et les chances sont minces que quelqu'un de renom quitte le PQ alors qu'il est en avance dans les sondages. Recommencer l'ADQ sous un autre nom serait une aventure qui finirait probablement de la même façon. La plus grande difficulté est cependant ailleurs.

Le scénario le plus fréquemment évoqué est celui d'une coalition de souverainistes et de fédéralistes qui mettraient temporairement de côté la question constitutionnelle, le temps de remettre le Québec en forme à partir d'un programme « lucide ».

Faisons de la science-fiction. Imaginons que ces gens se retrouvent au pouvoir. Supposons qu'Ottawa lance alors une initiative dans les zones grises du partage des pouvoirs. Pensez aux difficultés de ce gouvernement du Québec pour déterminer sa position : au conseil des ministres, les uns y verraient un empiètement dans nos juridictions, et les autres, un souci de coordination parfaitement raisonnable.

Imaginez qu'un groupe de parents conteste la loi 101 devant les tribunaux fédéraux. Si vous êtes souverainiste, vous voudrez réagir avec fermeté. Si vous êtes fédéraliste, vous serez enclin à être plus conciliant. Et si Ottawa offre au Québec des milliards en argent frais en échange d'une plus grande présence fédérale en santé ou en éducation, vous faites quoi ?

Inévitablement, ce gouvernement québécois, assis entre les deux chaises constitutionnelles, serait aux prises avec des dilemmes du genre. Quand il y a accalmie sur le front constitutionnel, ces questions se posent moins. Mais toute notre histoire nous enseigne que les tensions reviennent toujours, pour des raisons qui n'ont rien à voir avec les individus ou la bonne foi, et tout à voir avec le choc entre deux nations qui, forcément, ont souvent des intérêts opposés.

Je comprends l'agacement provoqué par une question qui accapare tant d'énergie et que nous ne parvenons pas à régler. Mais il ne faut pas en tirer la fausse conclusion qu'on peut faire comme si la question n'existait pas ou qu'elle n'était pas cruciale. Il est vrai cependant qu'elle n'empêche pas le Québec de mieux utiliser ses pouvoirs actuels.

Dans l'immédiat, je concède que cela nous laisse devant une perspective assez peu enthousiasmante. On a le choix entre un PLQ démissionnaire face à Ottawa, usé jusqu'à la corde et enfoncé dans le copinage, et un PQ incapable de faire ce pourquoi il existe et qui se cherche péniblement sur les grands enjeux économiques et sociaux.

Impossible un nouveau parti ? Peut-être pas, mais extraordinairement difficile à court terme. Au fond, la réponse est entre les mains des deux partis traditionnels. S'ils ne trouvent pas les moyens de ramener à eux ces centaines de milliers d'électeurs qui ont décroché par lassitude et frustration, la question continuera à se poser. Et avec de plus en plus de force.

12 mai 2010

L'homme, tout simplement

Je suis fasciné par ces histoires vraies, mais qui font disparaître la frontière entre la fiction et la réalité.

Après le génocide rwandais de 1994, le dictateur Mobutu ouvrit les portes du Congo aux Hutus qui avaient exterminé 800 000 Tutsis. Assoiffés de vengeance, ces derniers pénétrèrent en territoire congolais. Ce conflit oublié fut le plus meurtrier depuis 1945 : 5,4 millions de morts. Ça fait environ 45 000 morts par mois, 1500 par jour, 62 par heure, un par minute.

Byabey Kambale a aujourd'hui 16 ans. À 11 ans, il fut forcé de devenir un enfant-soldat. Dans la revue *XLSemanal*, il raconte que lui et ses camarades furent obligés de manger les ennemis qu'ils tuaient. Il dit avoir personnellement mangé 10 Rwandais. Froidement, il explique qu'il trouve la chair humaine plus savoureuse que le veau ou l'agneau. Il est maintenant dans un centre de « récupération ». On tente d'en faire un être humain.

Le journaliste a choisi de l'appeler Mourad. Ce n'est pas son vrai nom. Mourad raconte ce que c'est que d'être gay au Maroc. C'est simple : l'article 489 du Code pénal de 1962, toujours en vigueur, prévoit une peine de prison de trois ans pour le « crime » d'homosexualité. C'est donc la clandestinité.

Les frères de Mourad sont des islamistes purs et durs. Ils disent à Mourad que la religion peut le « guérir ». En attendant de trouver la lumière divine, Mourad veut aller voir Elton John, qui doit donner un concert à Rabat. Les islamistes sont en furie. Cet artiste « dégénéré » ne devrait pas fouler le sol marocain. Heureusement, le roi Mohamed VI est le parrain d'honneur de l'événement, ce qui calme le jeu.

Dans le registre de l'absurde, rien ne battra jamais l'ONU. La Lybie, où sévit l'un des régimes les plus répressifs de la planète, vient d'être élue à l'un des 14 sièges à pourvoir au Conseil des droits de l'homme de l'ONU. Oui, les droits de l'homme. Comme les sièges sont répartis par blocs régionaux, la Lybie s'est entendue avec l'Iran, qui a préféré un siège à la Commission de l'ONU sur le statut de... la femme. Sublime.

L'écrivain américain Philip Roth, lui, est sur la liste des candidats au prix Nobel de littérature depuis toujours. On lui préfère généralement des écrivains qui eurent l'infortune d'être persécutés ou qui proviennent de petits pays sympathiques.

Roth donnait récemment une entrevue à une journaliste italienne. Elle lui demande des précisions sur les propos peu flatteurs de Roth sur Obama. « Mais de quoi parlez-vous ? dit-il. J'appuie le président », se défend Roth. Elle lui tend alors une copie d'une « entrevue » que Roth aurait donnée au « journaliste » Tommasso Debenedetti et publiée dans le journal *Libero*.

Une pure fabrication. Roth ne lui a jamais parlé. On fouille et on découvre que ce pigiste-escroc a concocté des entrevues imaginaires avec les plus grands écrivains vivants : Grass, Naipaul, Saramago, Morrisson, tous des Prix Nobel. Aucun ne l'a jamais rencontré. Depuis des années, il vendait les « entrevues » pour une petite fortune. Il parodiait à la perfection les idées, les tics de langage et les tournures d'esprit de ses victimes. L'être humain, tout simplement.

24 mai 2010

Le réveil de la majorité

Dans son excellente chronique du lundi 24 mai, mon collègue Daniel Audet semblait s'étonner, voire déplorer qu'une majorité de Québécois tienne, selon un récent sondage, au maintien du crucifix dans l'enceinte de l'Assemblée nationale.

Il y a d'excellents arguments pour le maintien, le retrait ou le déplacement de celui-ci. Mon billet ne porte pas là-dessus. Je veux seulement faire ressortir que les Québécois sont loin d'être le seul peuple dont la baisse de la pratique religieuse s'accompagne d'un désir de maintenir bien en vue les symboles patrimoniaux d'origine chrétienne.

En novembre et décembre 2009, la Fondation BBVA a interrogé 21 000 répondants de 12 pays de l'Union européenne. Rendu public au début mai, le sondage a fait grand bruit en Europe en raison de la taille de son échantillon. Pour le consulter, allez sur Google et tapez « Fondation BBVA et religion ».

Dans tous ces pays, sans exception, une majorité se dit favorable à des lois qui limiteront le port des vêtements associés à la religion musulmane. Évidemment, les proportions varient selon le type de vêtement et le pays. On note aussi une plus grande ouverture à l'endroit des symboles associés aux religions sikh et juive. Enfin, sans exception aucune, les majorités sont favorables au maintien des symboles d'origine chrétienne dans les lieux publics, comme par exemple les crucifix dans les salles de classe.

Un peu partout, la classe politique prend acte du réveil de ces majorités de moins en moins silencieuses. Après la France et la Belgique, les autorités d'autres pays européens entreprennent d'agir, pour des motifs plus ou moins nobles selon les cas.

Le cas italien est intéressant. Un jugement de 2009 « invitait » le gouvernement italien à retirer tous les symboles religieux des salles de classe, ce qui, dans les faits, revenait à demander de retirer le crucifix. Le 30 juin prochain, Rome plaidera devant le Tribunal sur les droits humains de Strasbourg que le crucifix est un symbole historique et culturel, en même temps que religieux, et, qu'à ce titre, il doit demeurer en place.

Il faut dire que le droit actuel montre cruellement ses limites. Si on choisit de considérer un vêtement comme un symbole religieux, on peut le permettre au nom de la liberté religieuse, mais on peut aussi décider de l'encadrer plus ou moins sévèrement au nom de la laïcité de l'État ou de la sécurité. Si on le considère comme un simple choix vestimentaire, on peut laisser aux autorités locales le soin de le réglementer, ce qui entraînera forcément des différences d'un endroit à l'autre.

Dans aucun pays, la séparation entre l'État et la religion n'est d'ailleurs tranchée au couteau. Aux États-Unis, les billets de banque portent la mention *In God we trust.* En Grande-Bretagne, la reine est aussi, formellement, le chef de l'Église anglicane.

Toutes les sociétés occidentales tâtonnent en ce moment. Il n'y a pas de réponse unique et transposable d'un pays à l'autre. Mais il est frappant de voir qu'un peu partout, quand les peuples sont confrontés malgré eux à ces questions, ils redécouvrent leur attachement à leurs racines historiques et semblent vouloir que leurs élus sachent conjuguer le présent et le passé.

26 mai 2010

Du calme

Mgr Ouellet rectifie le tir, mais réclame néanmoins une réouverture du débat sur l'avortement.

Évidemment, ni Stephen Harper, ni Jean Charest, ni aucune force politique le moindrement organisée n'ont l'intention de rouvrir cette question. La croisade du cardinal n'ira donc nulle part, si ce n'est qu'elle haussera peut-être son profil au Vatican.

La situation qui prévaut chez nous en matière d'avortement reflète les vœux de la majorité. Les possibilités que l'avortement soit de nouveau criminalisé au Canada sont absolument inexistantes. Que vous soyez d'accord ou pas est une autre question.

Cette affaire me laisse tout de même un drôle de goût dans la bouche. Au Québec, l'Église catholique perd ses fidèles. Le clergé vieillit et n'a pas de relève. Si la religion catholique reste une référence importante pour beaucoup de Québécois, l'Église, comme institution, n'a pratiquement plus aucune influence chez nous.

Mgr Ouellet, lui, prône un conservatisme si rigide qu'il ne donne aucune envie de dialoguer avec lui. Il fait peut-être plaisir à une petite frange, mais il repousse plus qu'il n'attire. C'est comme s'il avait vécu en dehors du dernier demi-siècle, ce qui ne veut pas dire qu'il faille absolument trouver formidable tout ce que charrie notre époque.

Il y a donc quelque chose d'hallucinant dans la disproportion entre les positions ultra-minoritaires et sans avenir du cardinal et l'hystérie de certaines réactions à son endroit. Comme c'est souvent le cas, quand Mgr Ouellet parle, le peuple reste calme et fait sa petite affaire. L'industrie du bavardage médiatique et la classe politique, elles, perdent les pédales et disent n'importe quoi.

Un chroniqueur habituellement fin et subtil, dont je suis un grand admirateur, a souhaité au cardinal une mort lente et douloureuse. J'ai lu aussi des allusions au frère du cardinal qui étaient d'un goût plus que douteux et sans aucun rapport avec le débat en cause ici. On a même évoqué une motion à l'Assemblée nationale, comme si l'affaire Michaud ne nous avait pas enseigné qu'il est périlleux, dans une société de libre expression, d'utiliser un Parlement pour statuer sur des opinions individuelles.

Pourquoi répondre à une opinion marginale par une telle démesure, une telle hystérie ? Pourquoi cette disproportion, cette émotivité, ces emportements qu'aucun danger imminent ne justifie ? Pourquoi cette incapacité à répondre sereinement ?

La réponse-cliché est que les femmes ont mené jadis un difficile combat qu'elles ne veulent pas mener de nouveau. Elles ont cependant livré le même ailleurs en Occident. J'habite en Europe depuis un an. Tous les jours, des personnalités disent des choses sidérantes, et on n'en fait pas un plat. Excusez-moi, mais certaines réactions aux propos de Mgr Ouellet faisaient penser à un commérage de petit village qui n'a rien de mieux à faire.

Je pense que nous faisons ce bruit de casseroles pour ne pas trop nous avouer l'insignifiance profonde de notre vie politique et notre peur d'affronter les questions vraiment importantes. Plus largement, l'effondrement de la religion fut très rapide chez nous et laissa un vide éthique que ni l'État ni la laïcité n'ont su combler. Nous vivons donc la modernité comme une nouvelle religion, en l'embrassant avec ferveur, frénésie et sans aucun recul critique.

Ma famille et moi rentrerons au Québec dans moins d'un mois, et je sens déjà que nous serons écartelés entre la joie de revoir nos proches et la tristesse de nous éloigner de tout ce que nous avons découvert et appris à aimer en Espagne.

31 mai 2010

Post-scriptum

Endurez-moi encore un instant. Sitôt rentré d'Espagne, j'ai immédiatement refait une valise et je suis reparti pour l'Uruguay, mon pays natal, pour des raisons de boulot, d'où je suis revenu il y a quelques jours à peine.

Je suis arrivé là-bas en pleine folie de la Coupe du monde de football, tout de suite après ce match hallucinant entre l'Uruguay et le Ghana, et j'y suis resté jusqu'à la fin du tournoi.

Survoltée, hallucinante : ces mots ne suffisent pas pour rendre compte de la fièvre patriotique qui s'est emparée de l'Uruguay pendant l'extraordinaire chevauchée de ce petit poucet qui s'est invité dans un party où personne ne l'attendait. Cet orgueil et cette joie pourraient avoir des effets étonnamment durables si les suites sont bien gérées.

On avait installé un écran géant sur la Place de l'Indépendance à Montevideo. C'est évidemment là que j'ai regardé les matchs et non dans les salons VIP où l'on m'invitait. Les écoliers avaient congé. Le Parlement suspendit ses travaux. Le pays était littéralement arrêté.

Je n'avais jamais, absolument jamais vécu une expérience similaire. La seule chose un peu similaire, mais inférieure en intensité, dont je me rappelle, fut la série Canada-URSS de 1972 au hockey. Aucune parade de la Coupe Stanley n'a été porteuse du tiers de la charge électrique qui habitait ces foules.

Il faut dire que le foot joue un rôle central dans la construction de l'identité nationale de l'Uruguay, qu'on ne peut pleinement comprendre chez nous, infiniment supérieur à celui du Canadien au Québec. L'Uruguay fut en effet deux fois champion du monde, mais c'était dans la préhistoire du foot, en 1930 et 1950.

Ces deux exploits restent des moments symboliques extraordinairement forts dans ce récit sur eux-mêmes que tous les peuples se construisent avec ce qu'ils ont. Un peu comme nos barrages hydroélectriques, devenus des symboles de ce que les Québécois peuvent faire quand ils s'en donnent la peine.

Cependant, depuis longtemps, l'équipe nationale n'avait enregistré que des déboires, et l'industrie locale du foot est essentiellement devenue une pépinière de talents rapidement vendus aux riches clubs européens. Ces derniers jours, les jeunes confiaient qu'ils commençaient en avoir ras-le-bol de se faire dire que leurs grands-pères et arrière-grands-pères furent jadis champions du monde. Ils voulaient voir un exploit de leurs propres yeux.

Un diplomate uruguayen, qui ne blaguait pas du tout, m'a confié que ces 23 joueurs ont fait plus en un mois pour l'image de ce pays, dont on ne parle jamais, que quarante ans de patients travaux diplomatiques. L'Uruguay a aussi un immense complexe d'infériorité vis-à-vis des deux géants qui l'encadrent, l'Argentine et le Brésil.

Évidemment, cet exploit ne doit pas masquer les problèmes profonds du foot uruguayen. Les clubs locaux n'ont tout simplement pas les moyens d'offrir des salaires compétitifs. Le FC Peñarol, l'un des deux clubs mythiques de l'Uruguay, doit trois mois de salaire à ses joueurs qui font présentement la grève. Un seul joueur parmi les 23 de la Céleste joue au pays.

Très au-delà du sport lui-même, cette épopée était une façon pour ce petit pays de dire au monde: je suis petit, mais je suis là, et voyez ce qu'on peut faire avec un peu de talent et beaucoup de discipline, d'efforts et de solidarité.

Il m'est aussi arrivé en Uruguay quelque chose de proprement hallucinant qui a été, en quelque sorte, comme la cerise sur le gâteau de cette drôle d'année. Je n'y étais retourné que quatre fois en quarante ans depuis notre émigration au Québec. J'y étais pour rencontrer des étudiants québécois qui séjournent là-bas dans le cadre de leurs études de maîtrise.

Figurez-vous qu'une étudiante québécoise me raconte que, la veille de notre rencontre, elle était dans une école de tango. Une dame plus âgée qu'elle, uruguayenne, vient s'asseoir à sa table et engage la conversation. Complètement par hasard, mon nom arrive sur le tapis.

Aussi invraisemblable que cela puisse paraître, cette dame uruguayenne, que je n'ai jamais rencontrée, est une cousine de ma mère, décédée en 1974. Je ne sais presque rien de ma famille du côté de ma mère. Je n'ai jamais connu ma grand-mère maternelle, décédée avant ma naissance. Je ne sais rien non plus de mes tantes ou cousins de ce côté.

Cette dame tend sa carte à l'étudiante, qui me la remet. Le lendemain, je prends une grande respiration et l'appelle. Elle me répond avec chaleur, me met immédiatement à l'aise, et nous convenons de nous rencontrer.

Un moment d'une immense émotion. De part et d'autre, nous ressentions, je crois, la même chose. Elle se nomme Magdalena Scotti. Je la bombarde de questions et je prends des notes.

Je savais seulement que le nom de jeune fille de ma grand-mère était Emma Scotti. Magdalena m'apprend que ma grand-mère est née en 1906 et qu'elle est morte en 1956, frappée d'une embolie à la sortie de la messe.

Elle aurait eu sept frères et sœurs, dont l'un, Arturo, est le père de Magdalena. Elle aurait été maîtresse d'école. En plus de ma mère, elle aurait eu un fils, donc mon oncle, qui prit rapidement ses distances.

Les Scotti venaient à l'origine d'un village d'Italie appelé Castello di Torino, qui est près de Turin. C'est en 1860 que Anibal Scotti quitta l'Italie pour traverser l'océan et refaire sa vie en Uruguay. Une fois là-bas, il épousa une Basque du nom de Petrona Guichon, eût plusieurs enfants, et c'est l'un d'entre eux, Enrique, qui est à l'origine de la lignée qui est la nôtre.

Attendez, ça se complique. Cette Magdalena a un frère, Carlos Arturo, dont l'un des fils est un joueur de soccer professionnel. Il s'appelle Andrés Scotti et, si vous avez suivi attentivement la Coupe du monde, peut-être savez-vous qu'il joue défenseur central pour l'équipe nationale de l'Uruguay. Je le jure.

C'est lui qui a marqué sur le troisième tir de pénalité lors de cette hallucinante fin de match contre le Ghana. Ce jeune homme, qui est donc un de mes cousins éloignés, est évidemment beaucoup plus jeune que moi.

J'ignorais tout cela jusqu'à la semaine dernière. Quand on arrive à la cinquantaine, on se pose des questions qu'on ne se pose pas à dix-huit ans, surtout quand sa famille s'éparpille sur trois continents en trois générations. Cette année, en Espagne, j'ai trouvé des réponses du côté paternel. Je viens d'en trouver du côté maternel. C'est fou comme le monde est petit.

*
*   *

Depuis que je suis rentré d'Espagne, je suis évidemment avec une attention particulière les nouvelles de là-bas.

Le Parlement catalan a décidé d'interdire les corridas de taureaux sur le territoire de la Catalogne à partir de 2012. L'affaire n'est pas terminée, puisque l'opposition officielle au Parlement central de Madrid contestera peut-être cette décision devant les tribunaux.

Il faut d'abord décoder correctement ce qui s'est passé. L'argument le plus souvent martelé par le camp de l'interdiction était celui des souffrances infligées à l'animal. Mais les vraies motivations derrière ce vote ont peu à voir avec cela.

Depuis des années, le nationalisme catalan s'affirme face au nationalisme espagnol. Comme chez nous, cette affirmation a des dimensions économiques, politiques, identitaires et linguistiques. Quand deux nationalismes s'affrontent, on s'en prend souvent aux symboles nationaux de l'autre.

Peu de choses incarnent et symbolisent l'identité espagnole autant que les corridas de taureaux. En voulant les interdire, les députés catalans visent l'Espagne bien plus que les corridas, devenues ici un prétexte pour marquer des points politiques. Ce qu'il faut penser du nationalisme catalan est une question que je n'aborderai pas ici.

La tension a aussi monté depuis que le Tribunal constitutionnel de Madrid a invalidé, il y a quelques semaines, de larges pans de la constitution interne de la Catalogne. Le nœud du litige tourne autour de savoir si la Catalogne est ou n'est pas une nation, et quelles sont les conséquences de cela. Ulcérée, une majorité de députés catalans a vu dans l'interdiction des corridas une façon de remettre à Madrid et au reste de l'Espagne la monnaie de sa pièce.

Pour beaucoup d'Espagnols, les protestations contre les corridas font lever les yeux au ciel. Ils réagissent exactement comme nous lorsque nous entendons Brigitte Bardot, Paul McCartney et tant d'Européens décrier la chasse aux bébés phoques à l'aide d'une argumentation basée sur des émotions, des préjugés et une ignorance de faits qu'ils ne sont même pas intéressés à connaître de toute façon.

De nos jours, quand des gens trouvent une chose bonne, la tentation de l'imposer à tous, pour leur plus grand bien, devient souvent irrésistible. Inversement, quand des groupes jugent une chose mauvaise, ils se mobilisent pour l'interdire à tous.

Dans les deux cas, on piétine mon droit et ma capacité à décider seul, comme un grand garçon, de ce qui est bon ou mauvais pour moi. On me traite donc comme un enfant.

*

* *

Ce sera la rentrée scolaire cette semaine au Québec. Je crois que je suis plus excité que mes enfants.

Mathilde entrera en quatrième année du primaire. Elle prend ça comme un vétéran. Le saut est plus grand pour Christophe qui entre au secondaire. De petit roi de la cour d'école qu'il était en sixième, il redevient un ti-cul qui regardera d'en bas les plus grands. Mais après l'année passée en Espagne, où il a dû ramer, je crois qu'il est prêt pour n'importe quelle épreuve.

Nous venons d'aller chercher ses uniformes scolaires. La distribution était organisée de façon militaire, par cycle et par lettre du nom de famille. On faisait sur place les ourlets de ses pantalons qui seront trop courts en décembre. Je devrai lui apprendre à faire un nœud de cravate. Il y a quelques mois, c'était l'usage du rasoir. L'école n'étant plus au coin de la rue, il devra aussi se débrouiller en métro et en autobus.

La semaine passée, c'était la distribution des manuels scolaires. Des livres flambant neufs. Quand j'avais son âge, nous héritions de ceux des cohortes précédentes. Je revois ma mère en train de les recouvrir de plastique. Des livres neufs, on en recevait en cadeau quand le bulletin était bon. Je les manipulais avec un soin maniaque, en faisant attention de ne pas leur casser le dos et de ne pas écorner les pages. J'adore l'odeur du papier neuf.

Les temps ont bien changé à tous les points de vue. Dans une récente chronique, Richard Martineau déplorait sa difficulté à intéresser ses enfants aux œuvres classiques, noyées dans le fast-food culturel qui nous submerge. Je livre le même combat et je n'ai aucune intention de m'avouer vaincu.

Il ne faut évidemment pas compter sur l'aide de l'actuel ministère de l'Éducation. Une dame œuvrant dans le monde de l'édition me rapportait qu'au niveau collégial, des œuvres classiques pourtant très accessibles, comme celles de Jacques Godbout ou d'Albert Camus, sont partout remplacées par du Guillaume Vigneault ou du Marie-Sissi Labrèche.

En tout respect, on peut se demander si ces derniers seront lus dans cinquante ans. Mais l'idéologie dominante dans le monde québécois de l'éducation ne se pose plus cette question. L'important est de mettre le jeune en contact avec des œuvres qui parlent de sa réalité à lui. Sinon, pense-t-on, le livre lui tombera des mains au bout de deux pages.

Toutes les époques ont évidemment produit du fast-food culturel. Qui se souviendrait aujourd'hui du médiocre Antonio Salieri (1750-1825), grande figure musicale de son époque, si le magnifique film de Miloš Forman, *Amadeus*, ne l'avait tiré de l'oubli ? Le passage du temps est le plus impitoyable des juges, mais il faut justement lui laisser du temps pour faire le tri.

Avec mes enfants, j'ai choisi la ruse. Un chef-d'œuvre peut aussi être accessible. Un film d'Hitchcock, par exemple, passe mieux que le *Rashomon* de Kurosawa. Dans cette brèche, on glisse ensuite du Sergio Leone ou du Spielberg, puis on augmente progressivement le niveau.

Quand notre époque produit quelque chose de bon, je fais du judo. Tous les enfants ont vu les trois volets du *Seigneur des Anneaux* de Peter Jackson. Avec les miens, je me tape ensuite les minables *Twilight*. Puis je leur montre, en parallèle, qu'au-delà de leurs goûts personnels, il y a, dans la trilogie de Jackson, une profondeur, une subtilité, une originalité, une maîtrise qui déclassent totalement les ados vampires. La démonstration devient plus aisée si les enfants sont a priori réceptifs à ce que vous proposez comme modèle.

Pour la littérature, j'ai un autre subterfuge. La version originale de *Moby Dick* fait plus de 800 pages et contient de longs développements sur l'industrie de la pêche. *Vingt mille lieues sous les mers*, de Jules Verne, a environ 500 pages et fourmille de considérations sur la flore sous-marine. Les auteurs du XIXe siècle publiaient souvent leurs romans sous forme de feuilletons dans les journaux. Comme ils étaient payés à la ligne, ils rallongeaient la sauce.

Il existe cependant des versions abrégées de bonne qualité. On garde l'intrigue, on ne touche pas au style, mais on enlève tout ce qui est du remplissage. Dans quelques années, il y a des chances que le jeune veuille se frotter à la version longue originale.

J'ai aussi un certain succès avec Conan Doyle (Sherlock Holmes), Edgar Allan Poe, Robert L. Stevenson, Jack London, etc. Évidemment, ce n'est pas Flaubert, mais mon but premier est de tuer l'idée que si c'est vieux, c'est forcément ennuyeux. Appelons-ça de l'étapisme culturel.

Évidemment, la question qui tue est: pourquoi notre système d'éducation a-t-il renoncé, sauf d'heureuses exceptions, à transmettre la culture classique?

Ce renoncement a plusieurs causes liées entre elles. L'école québécoise baigne dans cette idée perverse selon laquelle des exigences trop élevées pourraient conduire l'enfant à l'échec. Or, un roman de Balzac ou de Steinbeck, un film de Fellini ou de Kubrick, demandent des efforts considérables. Tant pis si ce jeune découvre ensuite que la vie adulte lui réserve des épreuves pour lesquelles il n'a pas été préparé.

Fondamentalement, notre système ne veut pas former et élever l'esprit du jeune, mais le mouler professionnellement pour répondre aux exigences de la société. On se dit que ne rien connaître de ces œuvres ne l'empêchera pas de gagner sa vie. Ce n'est pas faux, mais cela donnera forcément une société dont le niveau culturel moyen sera relativement bas.

Notre système véhicule aussi l'idée qu'il faut partir de la culture vécue par le jeune. Ce n'est pas entièrement mauvais si on la dépasse rapidement. L'accès à la connaissance authentique exige une rupture avec notre monde quotidien pour entrer dans un autre univers, comme un explorateur débarquant dans une contrée inconnue. Il ne faut pas conforter le jeune dans sa certitude que rien n'est meilleur que Simple Plan.

C'est un peu comme ces gens qui vont en vacances dans le Sud. Soir après soir, ils ne prennent que les pâtes dans le buffet. Ils ne goûteront pas aux mets locaux parce qu'ils n'ont pas été habitués à penser qu'il peut y avoir autre chose que leurs petites habitudes. Personne n'a rompu leurs certitudes culinaires.

Nos facultés des sciences de l'éducation forment aussi depuis longtemps des cohortes entières de professeurs qui, eux-mêmes, ne connaissent rien de Molière, de Hubert Aquin ou de Charlie Chaplin, à moins de les avoir découverts par eux-mêmes ou à cause de leurs parents. Comment pourraient-ils ensuite transmettre ce qu'ils ne possèdent pas? Il y a évidemment d'heureuses exceptions.

Une autre cause de cette démission est que le relativisme est devenu l'idéologie dominante de notre époque. Au plan culturel, le relativisme, c'est de laisser chaque personne être l'unique juge de ce qui est bon ou mauvais en fonction de ce qu'elle aime ou n'aime pas. Si j'aime, c'est bon, si je n'aime pas, c'est mauvais. Les jeunes ne croient pas qu'il y a des critères objectifs, indépendants de leurs goûts personnels, permettant de soutenir que Marie-Sissi Labrèche ne vaut pas Stendhal ou que Marie-Mai ne vaut pas les Beatles.

Quand vous discutez avec des jeunes et que vous les coincez en leur démontrant que leur opinion ne tient pas la route, au lieu de reconnaître leurs torts et de changer d'opinion, ils se réfugieront derrière : « Chacun a droit à son opinion. » Ils confondent le droit à une opinion avec l'idée que toutes les opinions ont la même valeur.

Pourquoi, me demanderez-vous, la connaissance de cette culture classique est-elle importante ? Parce que nos jeunes se posent les mêmes questions qu'on se pose depuis 2500 ans. En sachant comment les plus grands esprits y ont répondu, ils s'éviteront de radoter en s'imaginant faussement qu'ils inventent.

*

* *

Parlant d'école, en faisant du ménage, j'ai retrouvé l'autre jour une photo de moi à l'école primaire. L'uniforme comportait un béret français un peu ridicule. Des tas de souvenirs me sont revenus en tête.

Quand la maîtresse, comme on disait à l'époque, arrivait en classe, on se levait et on se mettait au garde-à-vous. Elle était l'Autorité avec un grand A. C'était dans un autre millénaire et je me demande parfois si ce n'était pas dans une autre galaxie. On écrivait avec une plume en fer qu'on trempait dans un flacon d'encre. À la fin de chaque phrase, on épongeait avec un buvard. On rentrait à la maison avec de l'encre jusqu'aux coudes.

J'étais fort en langues, en histoire et en éducation physique, nul en maths et en sciences, indifférent en art plastique et en catéchèse. Au fond, ça n'a pas changé. Mes enfants ont mis la main sur un de mes vieux bulletins du temps où je vivais en Uruguay. Il y est écrit que je parlais trop en classe. Mon autorité auprès d'eux s'en est trouvée temporairement affaiblie.

Un de mes moments favoris avant la rentrée, c'était le retour dans ma chambre après l'achat des fournitures scolaires. Je passais des heures à tout examiner et à tout classer : les crayons de couleur Prismacolor ou Caran d'Ache, les crayons à mine Eagle Mirado HB, qui n'ont pas changé, les gommes à effacer, les cahiers Canada, l'étui en tissu écossais, le compas, le rapporteur d'angle, l'aiguisoir dans lequel je coinçais des mines dès le premier jour. Le bonheur absolu.

Chaque rentrée scolaire me fait me souvenir à quel point j'ai aimé aller à l'école. Je plains tellement les enfants pour qui c'est une corvée. J'ai eu de bons et de mauvais professeurs, de bons et de mauvais moments mais, fondamentalement, j'ai tout, absolument tout aimé de l'expérience scolaire. Je remercie mes enfants de me la faire revivre un petit peu à travers eux.

Laval, août 2010

AUTRES TITRES PARUS
DANS CETTE COLLECTION

Victor Armony, *Le Québec expliqué aux immigrants*
Daniel Baril, *Les mensonges de l'école catholique. Les insolences d'un militant laïque*
Marc-François Bernier, *Les planqués. Le journalisme victime des journalistes*
Denise Bombardier, *Propos d'une moraliste*
Denise Bombardier, *Sans complaisance*
Bruno Bouchard, *Trente ans d'imposture. Le Parti libéral du Québec et le débat constitutionnel*
Pierre Bourgault, *La résistance. Écrits polémiques,* tome 4
Claude G. Charron, *La partition du Québec. De Lord Durham à Stéphane Dion*
Alain Cognard, *La Belle Province des satisfaits*
Charles Danten, *Un vétérinaire en colère. Essai sur la condition animale*
Alain Deneault, *Paul Martin et compagnies*
Georges Dupuy, *Coupable d'être un homme. «Violence conjugale» et délire institutionnel*
Pierre Falardeau, *Les bœufs sont lents mais la terre est patiente*
Guy Ferland, *Qu'à cela ne tienne!*
Madeleine Gagnon, *Les femmes et la guerre*
Yolande Geadah, *Accommodements raisonnables. Droit à la différence et non différence des droits*
Carole Graveline, Jean Robert et Réjean Thomas, *Les préjugés plus forts que la mort. Le sida au Québec*
Richard Hétu, *Lettre ouverte aux antiaméricains*
IPSO (Les intellectuels pour la souveraineté), *Redonner sens à l'indépendance*
Henri Lamoureux, *L'action communautaire. Des pratiques en quête de sens*
Henri Lamoureux, *Le citoyen responsable. L'éthique de l'engagement social*
Henri Lamoureux, *Les dérives de la démocratie. Questions à la société civile québécoise*
Bernard Landry, *La cause du Québec*
Richard Langlois, *Requins. L'insoutenable voracité des banquiers*
Anne Legaré, *Le Québec, otage de ses alliés*
Josée Legault, *Les nouveaux démons. Chroniques et analyses politiques*
Yves Michaud, *Paroles d'un homme libre*
Rodolphe Morissette, *Les juges, quand éclatent les mythes. Une radiographie de la crise*
André Néron, *Le temps des hypocrites*
Stéphane Paquin, *La revanche des petites nations. Le Québec, l'Écosse et la Catalogne face à la mondialisation*

Jacques Parizeau, *Pour un Québec souverain*
Jacques Pelletier, *Les habits neufs de la droite culturelle. Les néo-conservateurs et la nostalgie de la culture d'un ancien régime*
Martin Petit, *Quand les cons sont braves. Mon parcours dans l'armée canadienne*
André Pratte, *Les oiseaux de malheur. Essai sur les médias d'aujourd'hui*
Michel Sarra-Bournet (sous la direction de), *Le pays de tous les Québécois. Diversité culturelle et souveraineté*
Serge Patrice Thibodeau, *La disgrâce de l'humanité. Essai sur la torture*
Gilles Toupin, *Le déshonneur des libéraux*
Daniel Turp, *La nation bâillonnée. Le plan B ou l'offensive d'Ottawa contre le Québec*
Pierre Vallières, *Le devoir de résistance*
Pierre Vallières, *Paroles d'un nègre blanc*
Michel Venne, *Les porteurs de liberté*
Michel Venne, *Souverainistes, que faire?*